#홈스쿨링
#혼자 공부하기

# 똑똑한
# 하루 한자

#기초 한자부터 #실생활 속 한자어까지 #똑똑하게 어휘력 키우기

# 똑똑한 하루 한자
## 시리즈 구성 (예비초~4단계)

우리 아이 한자 학습 첫걸음

8급

1단계 A, B, C

7급II

2단계 A, B, C

7급

3단계 A, B, C

6급II

4단계 A, B, C

# 4주 완성 스케줄표

| 1주 | 1일 8~17쪽 | 2일 18~23쪽 | 3일 24~29쪽 | 4일 30~35쪽 | 5일 36~41쪽 | 특강 42~49쪽 |
|---|---|---|---|---|---|---|
| | 자연 한자 江 강 강 | 자연 한자 土 흙 토 | 자연 한자 海 바다 해 | 자연 한자 水 물 수 | 자연 한자 電 번개 전 | |
| | 월 일 | 월 일 | 월 일 | 월 일 | 월 일 | 월 일 |

| 2주 | 1일 50~59쪽 | 2일 60~65쪽 | 3일 66~71쪽 | 4일 72~77쪽 | 5일 78~83쪽 | 특강 84~91쪽 |
|---|---|---|---|---|---|---|
| | 위치 한자 上 윗 상 | 위치 한자 下 아래 하 | 위치 한자 左 왼 좌 | 위치 한자 右 오른 우 | 위치 한자 方 모 방 | |
| | 월 일 | 월 일 | 월 일 | 월 일 | 월 일 | 월 일 |

배운 내용은 꼭꼭 복습하기!

| 3주 | 1일 92~101쪽 | 2일 102~107쪽 | 3일 108~113쪽 | 4일 114~119쪽 | 5일 120~125쪽 | 특강 126~133쪽 |
|---|---|---|---|---|---|---|
| | 위치 한자 前 앞 전 | 위치 한자 後 뒤 후 | 위치 한자 內 안 내 | 위치 한자 外 바깥 외 | 위치 한자 中 가운데 중 | |
| | 월 일 | 월 일 | 월 일 | 월 일 | 월 일 | 월 일 |

마지막 4주 공부 중. 감동이야!

| 4주 | 1일 134~143쪽 | 2일 144~149쪽 | 3일 150~155쪽 | 4일 156~161쪽 | 5일 162~167쪽 | 특강 168~175쪽 |
|---|---|---|---|---|---|---|
| | 시간 한자 時 때 시 | 시간 한자 空 빌 공 | 시간 한자 間 사이 간 | 시간 한자 午 낮 오 | 시간 한자 每 매양 매 | |
| | 월 일 | 월 일 | 월 일 | 월 일 | 월 일 | 월 일 |

Chunjae
Makes
Chunjae

▼

**똑똑한 하루 한자 2단계 A**

| | |
|---|---|
| **편집개발** | 김정, 정환진 |
| **디자인총괄** | 김희정 |
| **표지디자인** | 윤순미 |
| **내지디자인** | 박희춘, 조유정 |
| **삽화** | 강일석, 권순화, 베로니카, 정윤희, 하윤희, 홍선미 |
| **제작** | 황성진, 조규영 |

| | |
|---|---|
| **발행일** | 2021년 9월 15일 초판 2022년 3월 15일 2쇄 |
| **발행인** | (주)천재교육 |
| **주소** | 서울시 금천구 가산로9길 54 |
| **신고번호** | 제2001-000018호 |
| **고객센터** | 1577-0902 |



※ 정답 분실 시에는 천재교육 교재 홈페이지에서 내려받으세요.

※ KC 마크는 이 제품이 공통안전기준에 적합하였음을 의미합니다.

※ 주의

책 모서리에 다칠 수 있으니 주의하시기 바랍니다.

부주의로 인한 사고의 경우 책임지지 않습니다.

8세 미만의 어린이는 부모님의 관리가 필요합니다.

뚝 뚝 한

# 하루 한자

2 단계 A

7급Ⅱ 기초1

똑똑한 하루 한자 2단계-A

# 구성과 활용 방법

## 한 주 미리보기

미리보기 만화

미리보기 활동

## 일일 학습

이야기를 읽으며 오늘 배울 한자를 만나요.

QR 코드 속 영상을 보며 한자를 따라 써요.

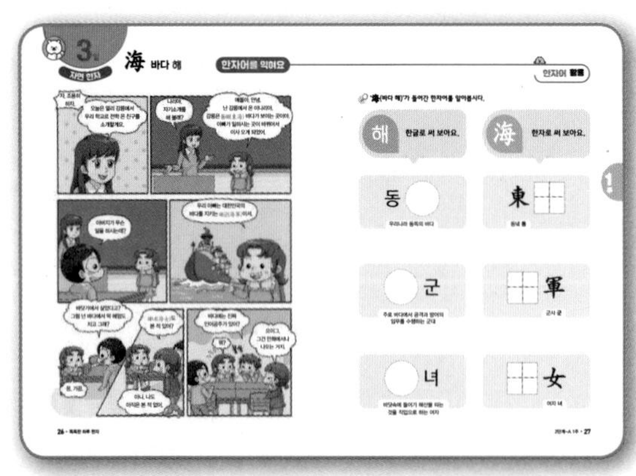

재미있는 만화로 생활 속 한자어를 익혀요.

핵심 문제로 기초 실력을 키워요.

## 한 주 마무리

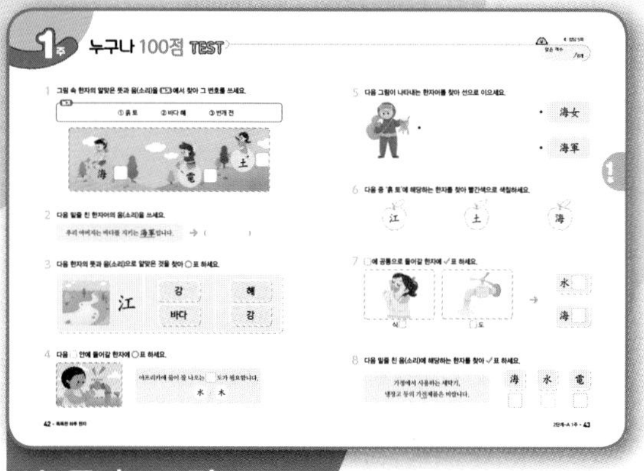


누구나 100점 TEST

한 주 동안 배운
내용을 확인해요.

## 특강

창의・융합・코딩 문제로
재미는 솔솔, 사고력은 쑥쑥!

생각을 키워요

## 부록

한자 카드로
더욱 재미있게 공부해요!

똑똑한 하루 한자

# 공부할 내용

## 1주 자연 한자

## 2주 위치 한자

# 7급 Ⅱ 배정 한자 총 100자

□은 2단계-A 학습 한자입니다.

| | | | | | |
|---|---|---|---|---|---|
| 家 | 間 | 江 | 車 | 工 | 空 |
| 집 가 | 사이 간 | 강 강 | 수레 거/차 | 장인 공 | 빌 공 |
| 敎 | 校 | 九 | 國 | 軍 | 金 |
| 가르칠 교 | 학교 교 | 아홉 구 | 나라 국 | 군사 군 | 쇠 금/성 김 |
| 氣 | 記 | 男 | 南 | 內 | 女 |
| 기운 기 | 기록할 기 | 사내 남 | 남녘 남 | 안 내 | 여자 녀 |
| 年 | 農 | 答 | 大 | 道 | 動 |
| 해 년 | 농사 농 | 대답 답 | 큰 대 | 길 도 | 움직일 동 |
| 東 | 力 | 六 | 立 | 萬 | 每 |
| 동녘 동 | 힘 력 | 여섯 륙 | 설 립 | 일만 만 | 매양 매 |
| 名 | 母 | 木 | 門 | 物 | 民 |
| 이름 명 | 어머니 모 | 나무 목 | 문 문 | 물건 물 | 백성 민 |
| 方 | 白 | 父 | 北 | 不 | 事 |
| 모 방 | 흰 백 | 아버지 부 | 북녘 북/달아날 배 | 아닐 불 | 일 사 |
| 四 | 山 | 三 | 上 | 生 | 西 |
| 넉 사 | 메 산 | 석 삼 | 윗 상 | 날 생 | 서녘 서 |
| 先 | 姓 | 世 | 小 | 手 | 水 |
| 먼저 선 | 성 성 | 인간 세 | 작을 소 | 손 수 | 물 수 |
| 市 | 時 | 食 | 室 | 十 | 安 |
| 저자 시 | 때 시 | 밥/먹을 식 | 집 실 | 열 십 | 편안 안 |
| 午 | 五 | 王 | 外 | 右 | 月 |
| 낮 오 | 다섯 오 | 임금 왕 | 바깥 외 | 오른 우 | 달 월 |

| 二 | 人 | 一 | 日 | 子 | 自 |
|---|---|---|---|---|---|
| 두 이 | 사람 인 | 한 일 | 날 일 | 아들 자 | 스스로 자 |
| 場 | 長 | 全 | 前 | 電 | 正 |
| 마당 장 | 긴 장 | 온전 전 | 앞 전 | 번개 전 | 바를 정 |
| 弟 | 足 | 左 | 中 | 直 | 青 |
| 아우 제 | 발 족 | 왼 좌 | 가운데 중 | 곧을 직 | 푸를 청 |
| 寸 | 七 | 土 | 八 | 平 | 下 |
| 마디 촌 | 일곱 칠 | 흙 토 | 여덟 팔 | 평평할 평 | 아래 하 |
| 學 | 漢 | 韓 | 海 | 兄 | 話 |
| 배울 학 | 한수/한나라 한 | 한국/나라 한 | 바다 해 | 형 형 | 말씀 화 |
| 火 | 活 | 孝 | 後 | | |
| 불 화 | 살 활 | 효도 효 | 뒤 후 | | |

## 함께 공부할 친구들

**주 미리보기** 에서 만나요!

한자가 궁금해!
호기심 대장 아름

한자를 색칠해 봐!
마법 판다 팬돌이

**본문** 에서 만나요!

개구쟁이지만 마음
따뜻한 친구 벼리

씩씩하고
쾌활한 소녀 다은

무엇이든 대답하는
척척박사 노을

# 1주 1주에는 무엇을 공부할까? ①

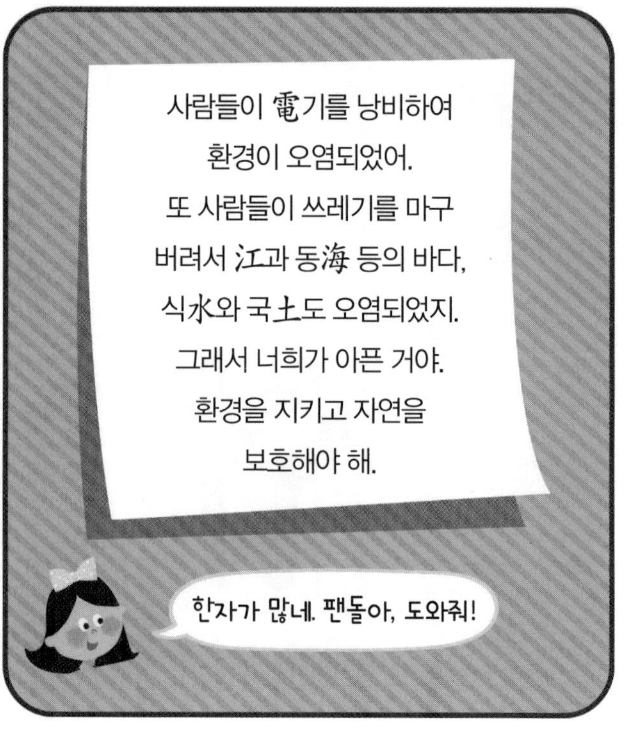

## 이번 주에는 어떤 한자를 공부할까?

1일 江 강 강

2일 土 흙 토

3일 海 바다 해

4일 水 물 수

5일 電 번개 전

사람들이 전기를 낭비하여
환경이 오염되었어.
또 사람들이 쓰레기를 마구
버려서 강과 동해 등의 바다,
식수와 국토도 오염되었지.
그래서 너희가 아픈 거야.
환경을 지키고 자연을
보호해야 해.

와! 한글로 바뀌었다!

1
주

# 1주 1주에는 무엇을 공부할까? ②

이번 주에 배울 한자들이 그림 속에 숨어 있어요. 보기를 참고해서 한자를 찾아보세요.

보기

江 강 강 土 흙 토 海 바다 해 水 물 수 電 번개 전

◐ 정답 2쪽

# 江 강 강

**다음 글을 읽고, 오늘 배울 한자를 확인해 보세요.**

우리 마을을 흐르는 강(江)물에 쓰레기들이 떠다녀요.
그래서 학교에서 쓰레기 줍기 봉사 활동을 했어요.
강(江)이 더러워지면 강물에 들어가 놀 수도 없게 되고,
자연환경도 망가지니까 열심히 쓰레기를 주웠어요.

공부한 날 月 日

## 강 강

흙을 높이 쌓아 넘치는 강물을 다스린다는 뜻으로, 큰 **강**을 나타내요.

1 주

**연하게 쓰인 한자를 따라 써 본 후, 빈칸에 바르게 쓰세요.**

| 江 | 江 | 江 | 江 |
|---|---|---|---|
| 강 강 | 강 강 | 강 강 | 강 강 |
| | | | |
| 강 강 | 강 강 | 강 강 | 강 강 |
| | | | |
| | | | |

1일
자연 한자

# 江 강 강

## 한자어를 익혀요

다녀왔습니다.
어머나, 벼리야, 무슨 일이니?
추
욱

학교에서 쓰레기 줍는 봉사 활동을 했어요. 강물 속까지 다.
꾀죄죄

근데 쓰레기가 많았니?
생각보다 많았어요. 선생님 말씀이 한강(漢江)을 따라 쓰레기가 흘러오는 거래요.
윽!

그리고 우리 동네는 한강 아래의 강남(江南) 쪽이라 쓰레기가 모이는 것이고요

우리 동네는 깨끗한 편이었는데. 점점 강산(江山)이 오염되겠구나.

너도 쓰레기 아무 데나 버리고, 강에다 막 던지고 그러면 절대 안 돼. 알았어?
누나, 그런 건 유치원생도 다 안다고!
빨리 나와!

'江(강 강)'이 들어간 한자어를 알아봅시다.

강 한글로 써 보아요.

한자로 써 보아요.

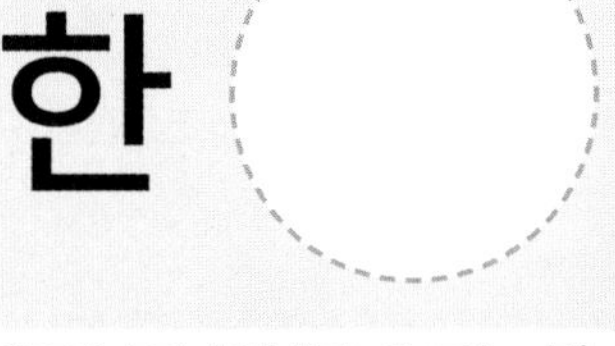


우리나라 중부를 흐르는 강

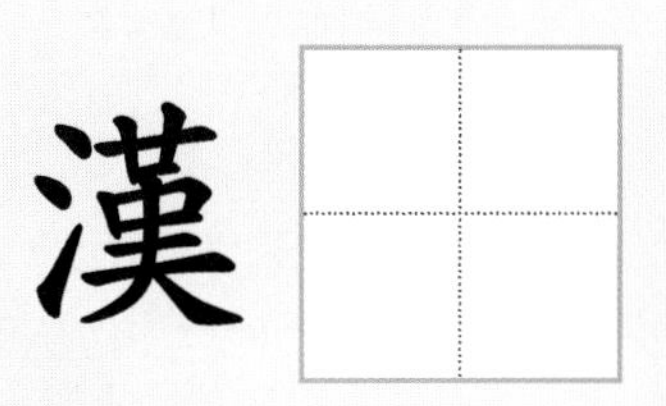


한수/한나라 **한**

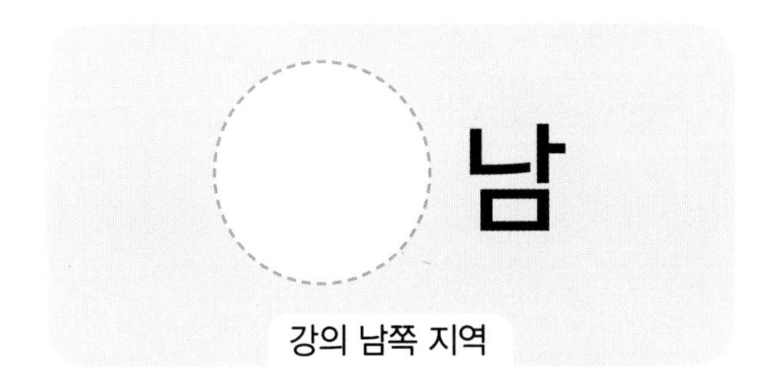


강의 남쪽 지역

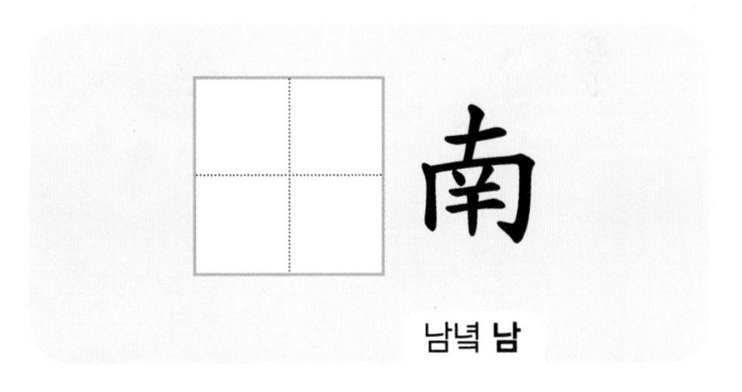


남녘 **남**

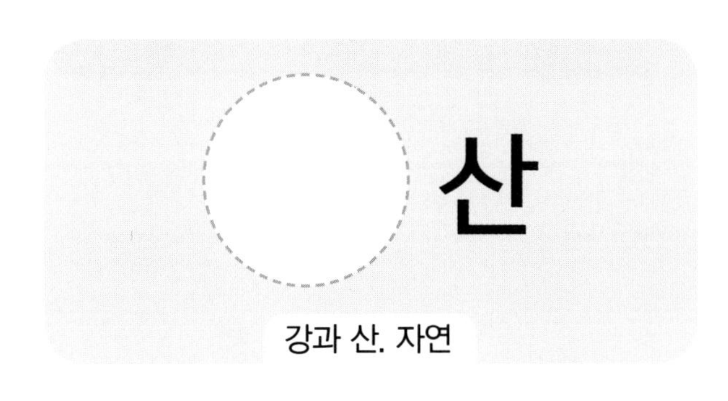


강과 산. 자연

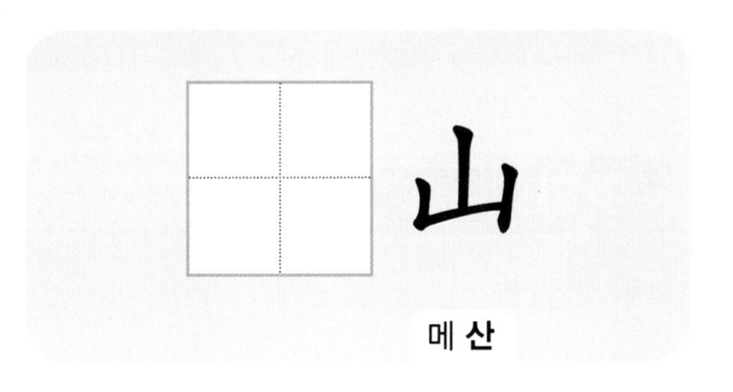


메 **산**

# 江 강 강

## 기초 실력을 키워요

**1** 바위에 쓰여 있는 한자의 뜻과 음(소리)을 바르게 말한 친구에게 ✔표 하세요.

**아하! 이렇게 푸는구나!**

아이들이 놀고 있는 곳과 관계가 있어요.

## 2 다음 뜻에 해당하는 낱말을 찾아 선으로 이으세요.

강과 산. 자연 •　　　　　　　　• 한강

우리나라 중부를 흐르는 강 •　　　　　　　　• 강산



급수 유형

## 3 다음 밑줄 친 한자의 뜻을 보기 에서 찾아 그 번호를 쓰세요.

보기

① 바다　　② 강　　③ 물

- 江남은 '강의 남쪽 지역'을 말합니다. → (　　　　　　)

급수 유형

## 4 다음 밑줄 친 한자의 음(소리)을 보기 에서 찾아 그 번호를 쓰세요.

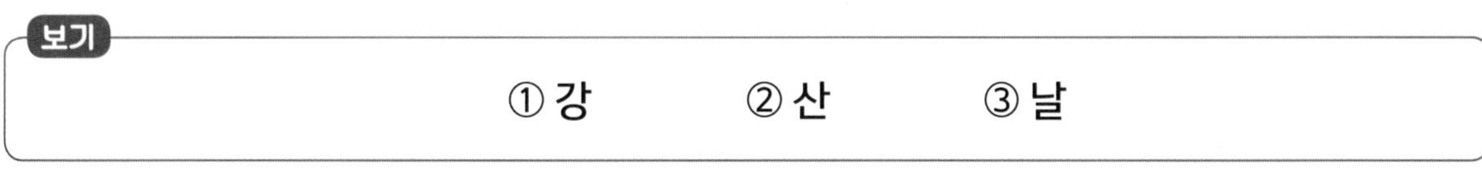

보기

① 강　　② 산　　③ 날

- 한江은 서울을 가로질러 흐르고 있습니다. → (　　　　　　)

2일
자연 한자

# 土 흙 토

다음 글을 읽고, 오늘 배울 한자를 확인해 보세요.

오랜만에 삼촌이 놀러 왔어요.
삼촌은 큰 토(土)목 회사에 다녀요.
삼촌의 꿈은 토(土)목 기술을 계속 공부해서
우리나라 최고의 토(土)목 기술자가 되는 거래요.
흙[土]이랑 나무와 함께 꿈을 위해 열심히 일하는 삼촌이 참 멋있어요.
오늘 배울 한자
土
흙 토

土

## 흙 토

땅 위에 한 무더기의 흙이 쌓여 있는 모습을 나타낸 글자로, 흙을 뜻해요.

QR을 보며 따라 써요!



연하게 쓰인 한자를 따라 써 본 후, 빈칸에 바르게 쓰세요.

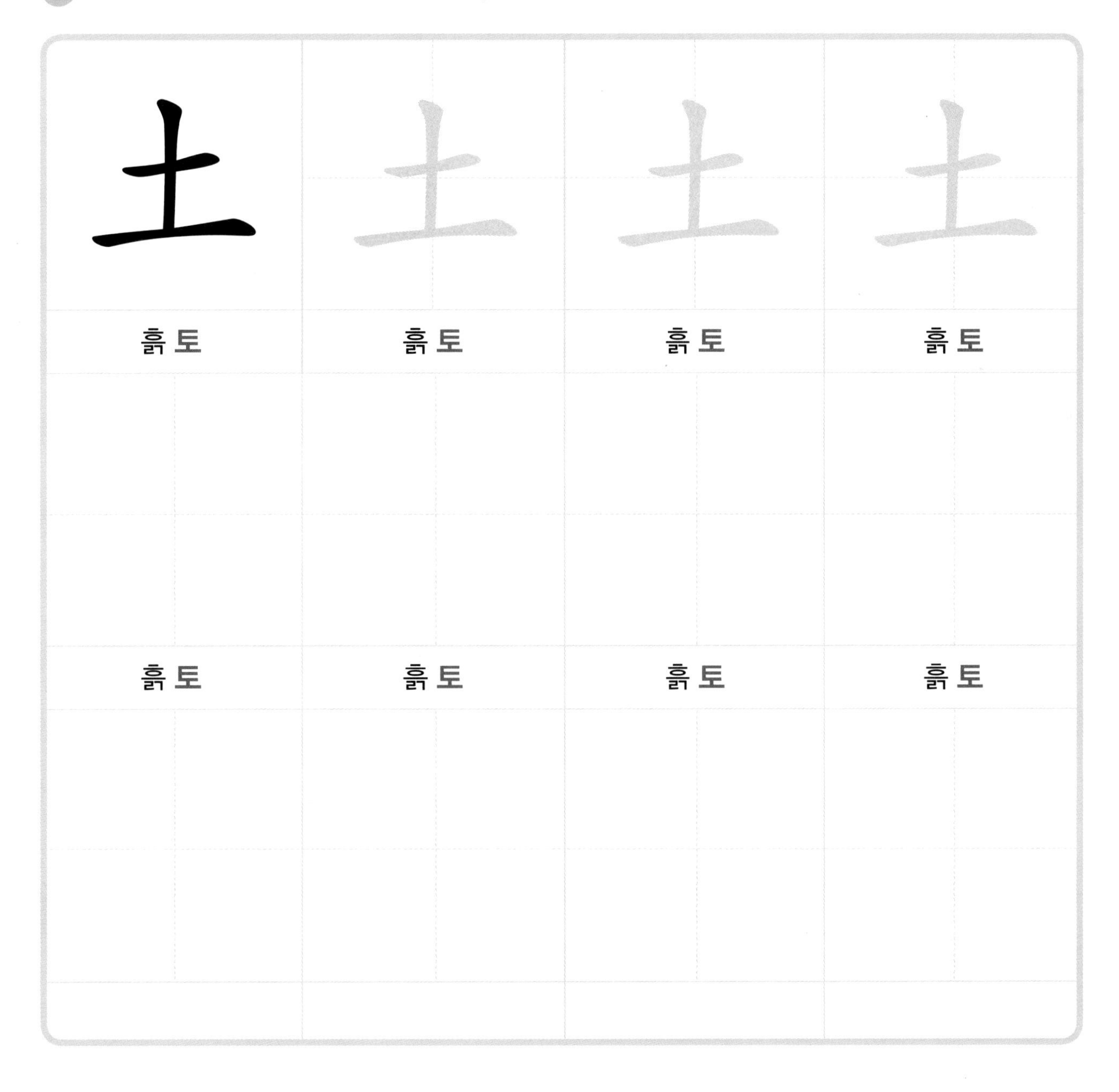
土 土 土 土
흙 토
흙 토
흙 토
흙 토
흙 토
흙 토
흙 토
흙 토

2일
자연 한자

# 土 흙 토

## 한자어를 익혀요

누구세요?
벼리야, 삼촌이야.
삼촌!
엄마, 아빠! 삼촌 오셨어요.

안녕하세요. 어, 그건?
벼리야, 미안. 이건 엄마 아빠 선물이야. 대신 저녁 먹고 삼촌이랑 게임하자.

어서 오세요.
들어와, 오랜만이다. 토목(土木) 회사는 잘 다니고 있니?

네, 형님. 요즘은 지방에서 새로운 토지(土地)를 개발하는 중이에요.
참, 이거 받으세요.

요즘 백토(白土)로 도자기 만드는 취미가 생겨서 만들어 봤어요.
오, 멋지다. 너한테 이런 취미가 있는 줄 몰랐다. 혹시 여자 친구 취미가 도자기 만들기니? 하하!

아니에요.
삼촌! 귀까지 빨개졌어요. 헤헤!

'土(흙 토)'가 들어간 한자어를 알아봅시다.

토 한글로 써 보아요.

土 한자로 써 보아요.

흙과 나무. 땅과 하천 등을 고치는 공사

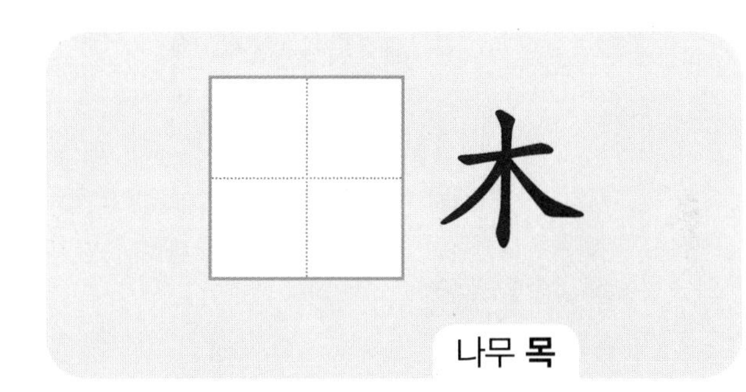


나무 **목**

땅이나 흙 등을 이르는 말

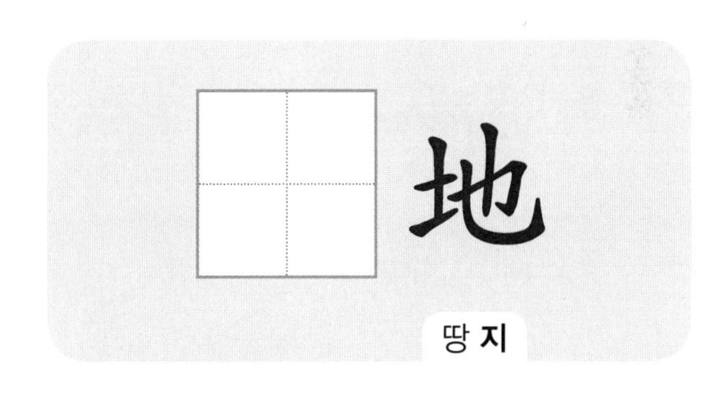


땅 **지**

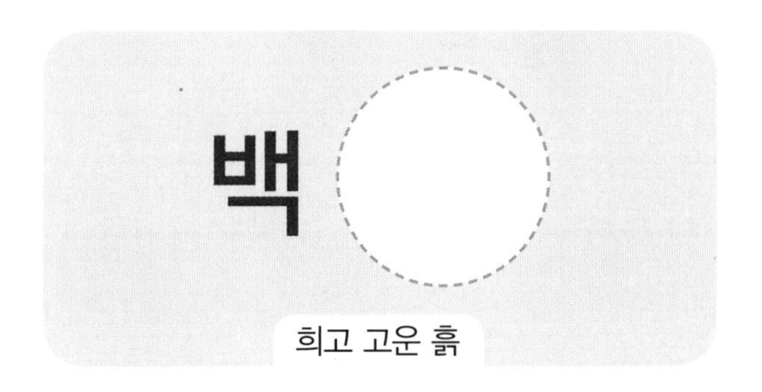


희고 고운 흙

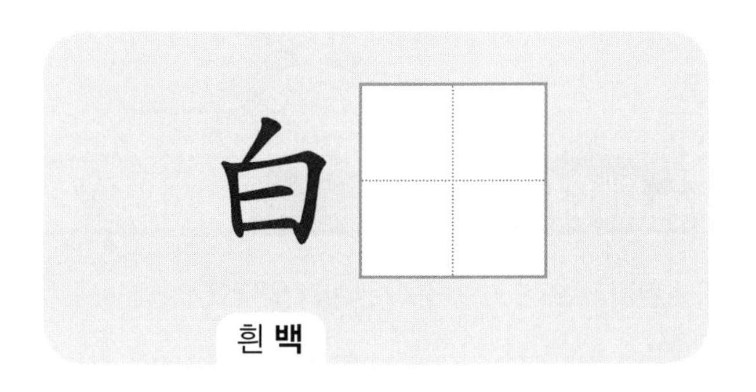


흰 **백**

# 土 흙 토

## 기초 실력을 키워요

**1** 그림 속 한자의 뜻과 음(소리)에 해당하는 것을 찾아 ✔표 하세요.

강 강 ☐　　　　흙 토 ☐

**아하! 이렇게 푸는구나!**

한자가 쓰여 있는 곳과 관계가 있어요.

**2** 다음 뜻에 해당하는 낱말을 찾아 선으로 이으세요.

흙과 나무 • • 토지

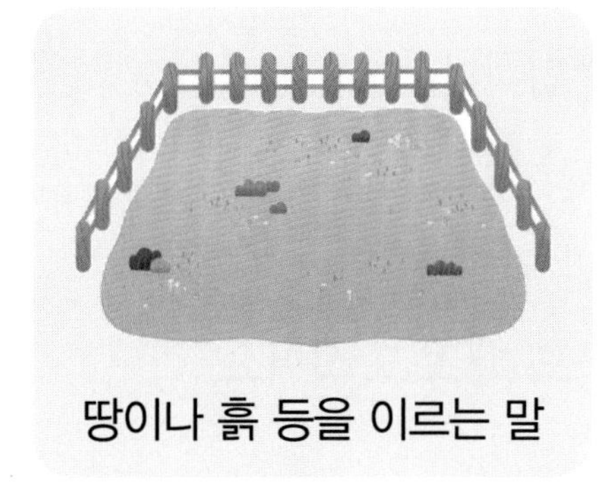

땅이나 흙 등을 이르는 말 • • 토목

**3** 보기 와 같이 다음 한자의 뜻과 음(소리)을 쓰세요.

보기

江 → 강 강

• 土 → (　　　　　　)

급수 유형

**4** 다음 밑줄 친 낱말에 해당하는 한자어를 보기 에서 찾아 그 번호를 쓰세요.

보기

① 土木　　② 土地　　③ 白土

• 백토는 생활 도자기를 만드는 데 많이 사용됩니다. → (　　　　　　)

# 海 바다 해

다음 글을 읽고, 오늘 배울 한자를 확인해 보세요.

나는 바다[海]를 실제로 본 적이 없습니다.
책이나 텔레비전으로만 봤을 뿐입니다.
우리나라의 동쪽에는 동해(海)가 있고,
서쪽에는 서해(海)가 있다는 것만 알아요.
바다[海]에서 배를 타고 일본도 가고 미국도 가 보고 싶어요.

## 바다 해

깊고 어두운 물을 나타내는 글자로, 크고 넓은 **바다**를 뜻해요.

**연하게 쓰인 한자를 따라 써 본 후, 빈칸에 바르게 쓰세요.**

| 海 | 海 | 海 | 海 |
|---|---|---|---|
| 바다 해 | 바다 해 | 바다 해 | 바다 해 |
| | | | |
| 바다 해 | 바다 해 | 바다 해 | 바다 해 |
| | | | |
| | | | |

3일
자연 한자

# 海 바다 해

## 한자어를 익혀요

자, 조용히 하자.
오늘은 멀리 강릉에서 우리 학교로 전학 온 친구를 소개할게요.

나리야, 자기소개를 해 볼래?
얘들아, 안녕. 난 강릉에서 온 이나리야. 강릉은 동해(東海) 바다가 보이는 곳이야. 아빠가 일하시는 곳이 바뀌어서 이사 오게 되었어.

아버지가 무슨 일을 하시는데?

우리 아빠는 대한민국의 바다를 지키는 해군(海軍)이셔.

바닷가에서 살았다고? 그럼 넌 바다에서 막 헤엄도 치고 그래?
응, 가끔.
해녀(海女)도 본 적 있어?
아니, 나도 아직은 본 적 없어.

바다에는 진짜 인어공주가 있어?
뭐?
불쑥
으이그, 그건 만화에서나 나오는 거지.

## 한자어 활용

'海(바다 해)'가 들어간 한자어를 알아봅시다.

해 한글로 써 보아요.

한자로 써 보아요.

우리나라 동쪽의 바다

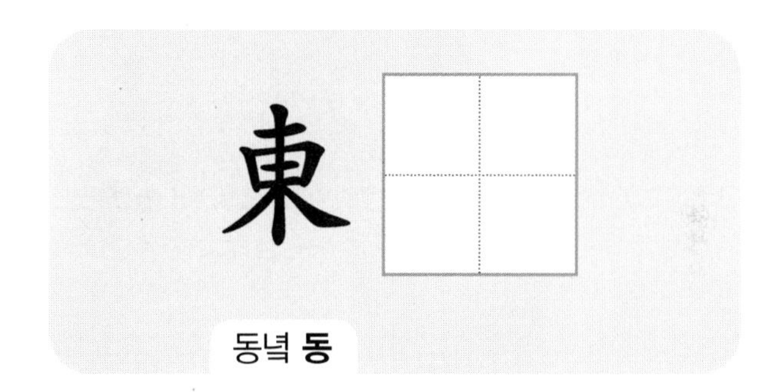


동녘 **동**

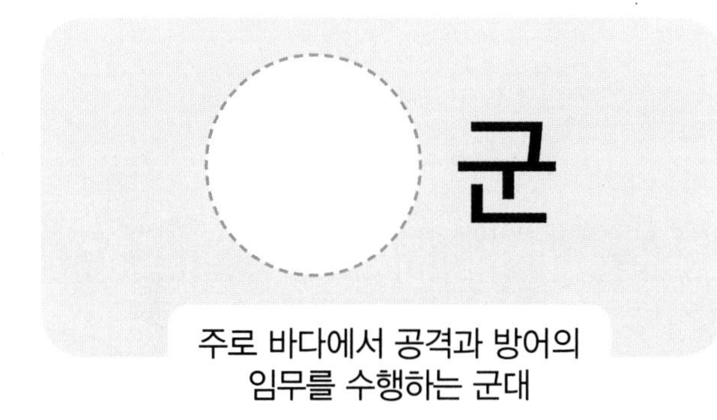


주로 바다에서 공격과 방어의 임무를 수행하는 군대

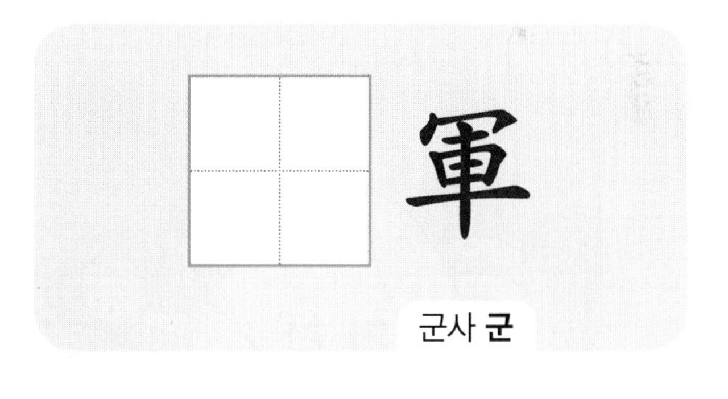


군사 **군**

바닷속에 들어가 해산물 따는 것을 직업으로 하는 여자

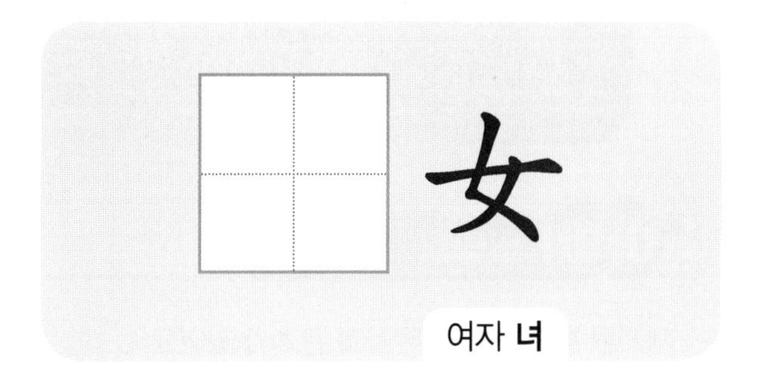


여자 **녀**

# 海 바다 해

## 기초 실력을 키워요

**1** 거북과 돌고래는 자기가 지닌 한자의 뜻과 음(소리)이 쓰인 먹이만 먹을 수 있어요. 거북의 먹이는 노란색, 돌고래의 먹이는 빨간색으로 칠하세요.

**아하! 이렇게 푸는구나!**

제시된 한자들은 모두 물과 관계가 있어요.

## 기초 집중 연습

어휘 확인

**2** 다음 뜻에 해당하는 한자어를 찾아 ✓표 하세요.

주로 바다에서 공격과 방어의
임무를 수행하는 군대

海軍 ☐ 海女 ☐

급수 유형

**3** 다음 뜻에 알맞은 한자를 보기에서 찾아 그 번호를 쓰세요.

보기

① 土 ② 江 ③ 海

- 바다 → (  )

급수 유형

**4** 다음 밑줄 친 한자의 음(소리)을 보기에서 찾아 그 번호를 쓰세요.

보기

① 강 ② 해 ③ 매

- 우리나라와 일본 사이에 동海가 있습니다. → (  )

# 水 물 수

다음 글을 읽고, 오늘 배울 한자를 확인해 보세요.

우리 생활에서 물[水]이 어디에 쓰이는지 생각해 보았어요.
물은 공장이나 논밭에서도 쓰이고, 집에서 세수할 때, 요리나 빨래할 때도 필요해요. 이처럼 물[水]은 우리 생활의 거의 모든 것에 필요합니다.
물[水]이 모자라면 안 되니까 아껴서 써야겠어요.

공부한 날 月 日

## 물 수

시냇물이 흐르는 모습을 본뜬 글자로, 물을 뜻해요.

1주

연하게 쓰인 한자를 따라 써 본 후, 빈칸에 바르게 쓰세요.

| 水 | 水 | 水 | 水 |
|---|---|---|---|
| 물 수 | 물 수 | 물 수 | 물 수 |
| | | | |
| 물 수 | 물 수 | 물 수 | 물 수 |
| | | | |

4일
자연 한자

# 水 물 수

## 한자어를 익혀요

벌컥 벌컥
목말랐구나.

아차, 오늘 선생님께서 이 지구상에 식수(食水)가 부족해서 못 마시는 사람들이 많으니까 물을 아껴 써야 한다고 하셨는데…….
멈칫

그래. 텔레비전 보면 많이 나오잖아. 아프리카에서는 수도(水道)가 없어서 오염된 흙탕물을 마시는 애들도 있다고 하더라.

네, 또 오랫동안 비가 오지 않아 나무들은 수분(水分)을 잃고 바싹 말라죽고 있대요.
이글
이글
그래. 참 걱정이구나.

누나, 물 좀 아껴 써. 그렇게 마구 뿌려대면 어떡해? 환경을 생각하라고!
쏴아

어쭈, 지금 네가 나를 가르치냐? 맛 좀 볼래?
흐흐흐
쏴아
으악!

한자어 활용

'水(물 수)'가 들어간 한자어를 알아봅시다.

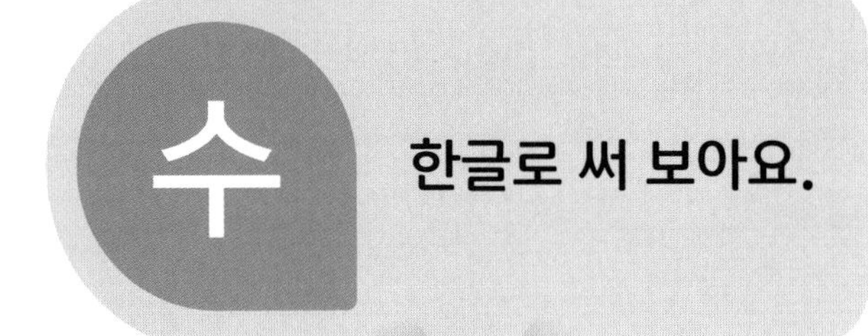
수
한글로 써 보아요.

水
한자로 써 보아요.

식
먹을 용도의 물

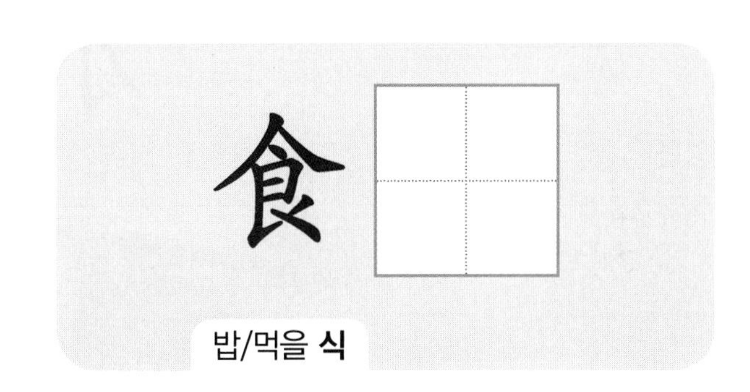
食
밥/먹을 **식**

도
수돗물을 받아 쓸 수 있게 만든 시설

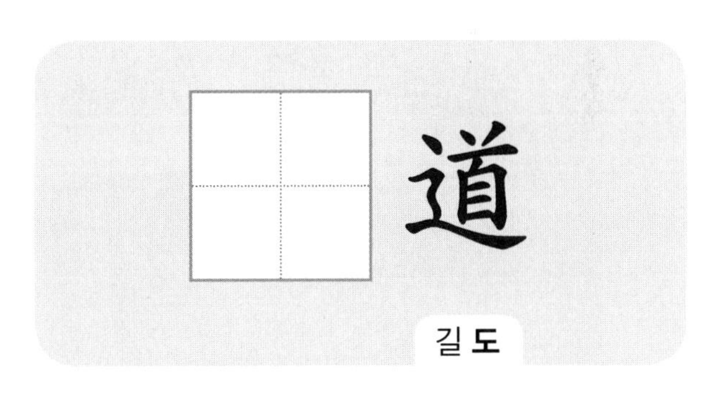
道
길 **도**

분
물기. 촉촉한 물의 기운

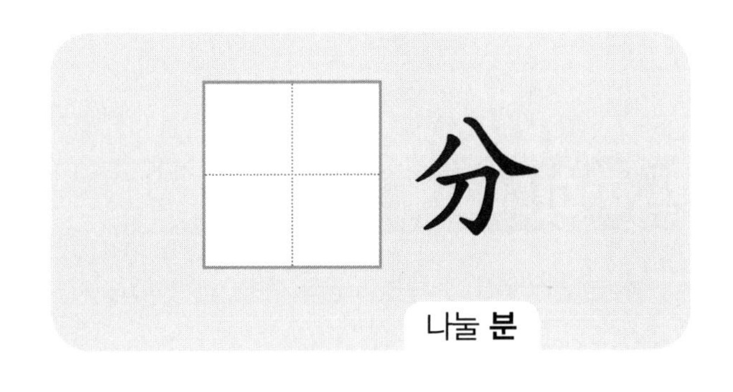
分
나눌 **분**

1 주

# 水 물 수

## 기초 실력을 키워요

**1** 다음 한자의 뜻과 음(소리)이 바르게 쓰여 있는 보물섬을 찾아 ○표 하세요.

**아하! 이렇게 푸는구나!**

'水'는 시냇물이 흐르는 모습을 본뜬 글자예요.

어휘 확인

**2** ◌에 알맞은 글자를 넣어 낱말을 만드세요.

물기. 촉촉한 물의 기운

수돗물을 받아 쓸 수
있게 만든 시설

먹을 용도의 물

분

도

식

급수 유형

**3** 보기 와 같이 다음 한자의 뜻과 음(소리)을 쓰세요.

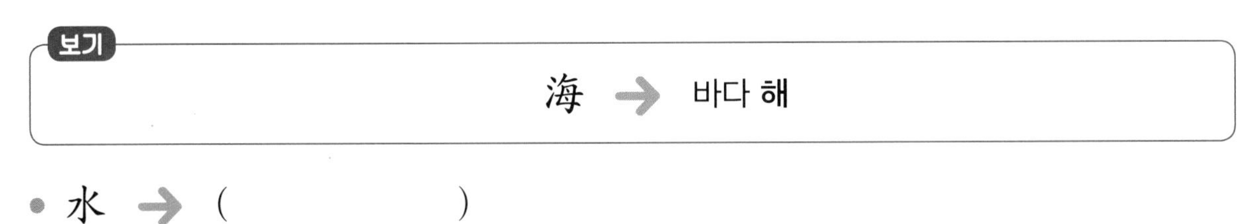
보기
海 → 바다 해

- 水 → (　　　　　　　)

급수 유형

**4** 다음 밑줄 친 말에 해당하는 한자를 보기 에서 찾아 그 번호를 쓰세요.

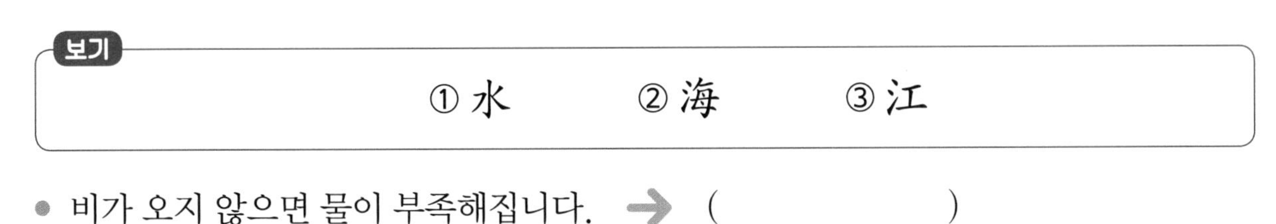
보기
① 水　② 海　③ 江

- 비가 오지 않으면 <u>물</u>이 부족해집니다. → (　　　　　　　)

# 電 번개 전

다음 글을 읽고, 오늘 배울 한자를 확인해 보세요.

어젯밤에는 우르릉 쾅쾅 천둥이 치는 소리가
나면서 번개[電]가 치더니 비가 많이 왔습니다.
번개[電]가 치고 난 후, 갑자기 전(電)기가
나가서 앞이 보이지 않았습니다.
전(電)기가 나가니까 무섭기도 하고 너무 불편했습니다.

오늘 배울 한자

電

번개 전

공부한 날 月 日

# 번개 전

번개가 칠 때 구름 사이로 나타나는 번갯불의 모양을 그린 글자로, **번개**, **전기**를 뜻해요.

1주

**연하게 쓰인 한자를 따라 써 본 후, 빈칸에 바르게 쓰세요.**

| 電 | 電 | 電 | 電 |
|---|---|---|---|
| 번개 전 | 번개 전 | 번개 전 | 번개 전 |
| | | | |
| 번개 전 | 번개 전 | 번개 전 | 번개 전 |
| | | | |
| | | | |

5일
자연 한자


# 電 번개 전

## 한자어를 익혀요

우르릉
쾅쾅
후드득
으악! 이거 무슨 소리야?


깜깜해. 아무것도 안 보여.

아빠, 엄마, 누나! 불! 불! 불! 어디 있어요?

벼리야, 번개 때문에 잠깐 전기(電氣)가 나간 거야. 무서워하지 말고 엄마, 아빠한테 와.

그냥 제 방에 있을게요.
그래, 무서우면 아빠한테 전화(電話)라도 해.

아빠, 물 마시고 싶어서 주방에 가려고요. 주방으로 와 주세요.
캄캄
더듬
더듬

아빠, 어디 있어요? 으아아아악!
귀신이다!
으악!
벼리야, 아빠야, 아빠. 괜찮아. 전기가 나가서 가전(家電)제품도 모두 꺼졌구나.

'電(번개 전)'이 들어간 한자어를 알아봅시다.

전 한글로 써 보아요.

한자로 써 보아요.



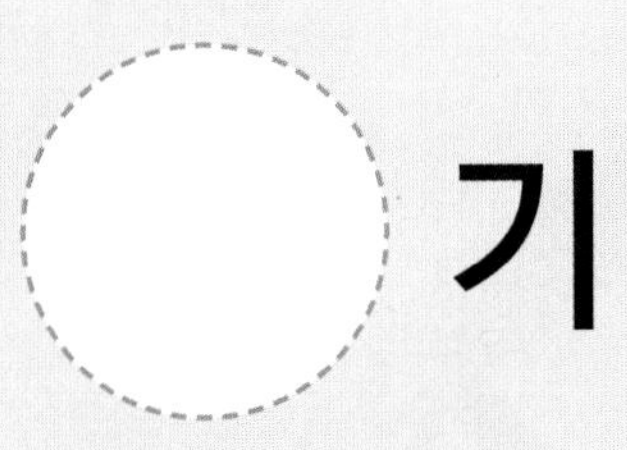

기

물체의 마찰에서 일어나는 현상으로, 빛이나 열이 남.

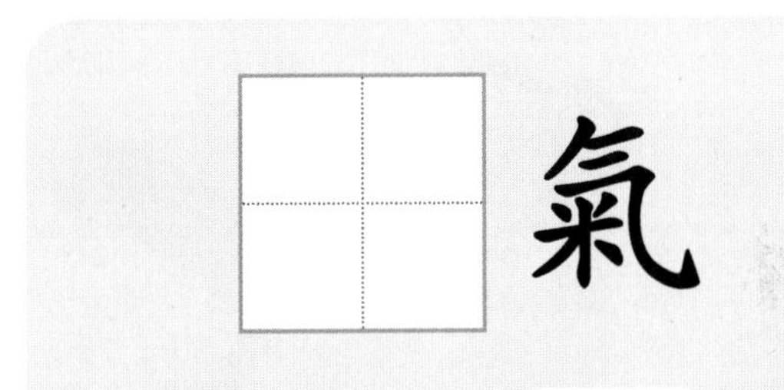

기운 기

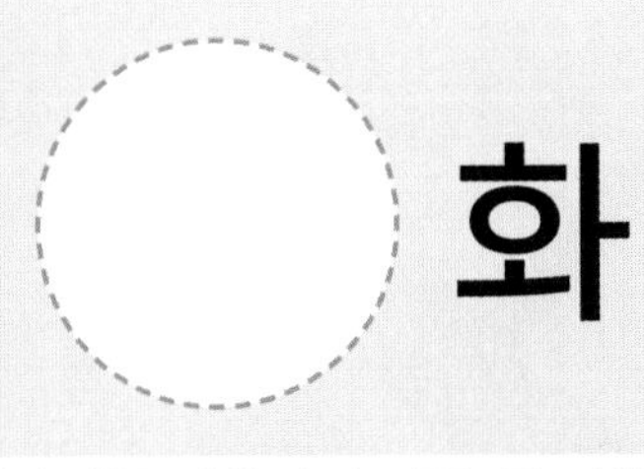

화

전화기를 이용하여 말을 주고받음.

말씀 화

가

가정에서 사용하는 전기 제품

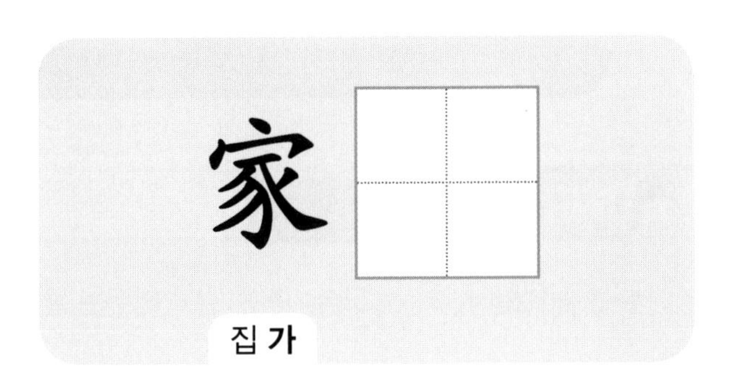

집 가

# 電 번개 전

기초 실력을 키워요

**1** 그림 속 한자의 알맞은 뜻과 음(소리)을 보기 에서 찾아 그 번호를 쓰세요.

보기
① 바다 **해**　　② 물 **수**　　③ 번개 **전**

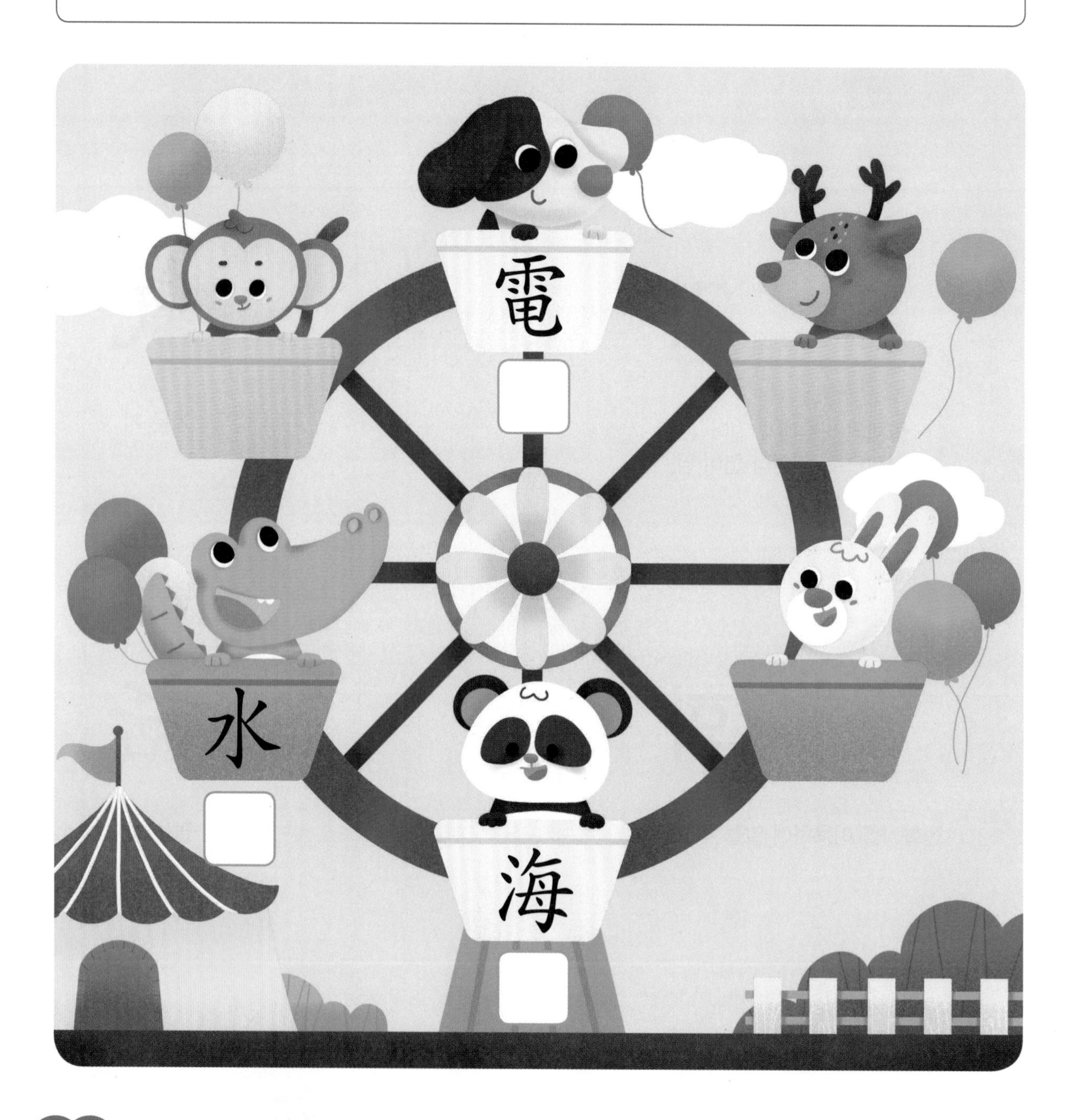


아하! 이렇게 푸는구나!

'水'는 시냇물이 흐르는 모습, '海'는 깊고 어두운 물의 모습, '電'은 번갯불의 모습을 그린 글자예요.

## 2 다음 그림이 나타내는 낱말을 보기에서 찾아 그 번호를 쓰세요.

보기

① 전화  ② 가전  ③ 전선

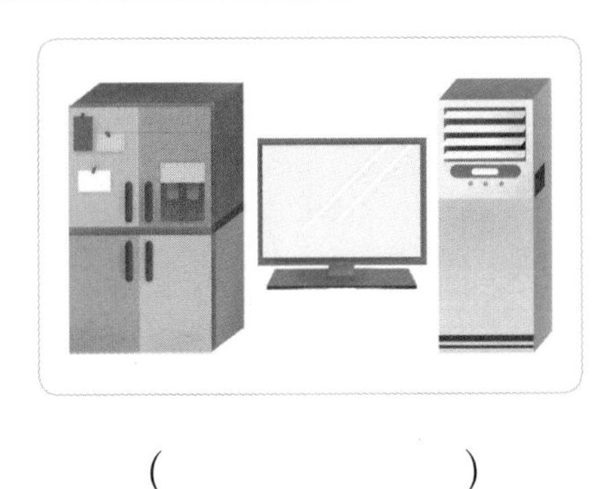

(  )  (  )

급수 유형

## 3 다음 뜻과 음(소리)에 알맞은 한자를 보기에서 찾아 그 번호를 쓰세요.

보기

① 電  ② 水  ③ 海

- 번개 전 → (  )

급수 유형

## 4 다음 밑줄 친 한자어의 음(소리)을 보기에서 찾아 그 번호를 쓰세요.

보기

① 가전  ② 전화  ③ 전기

- 모두 <u>電氣</u>를 아껴 씁시다! → (  )

1 주

# 누구나 100점 TEST

**1** 그림 속 한자의 알맞은 뜻과 음(소리)을 보기 에서 찾아 그 번호를 쓰세요.

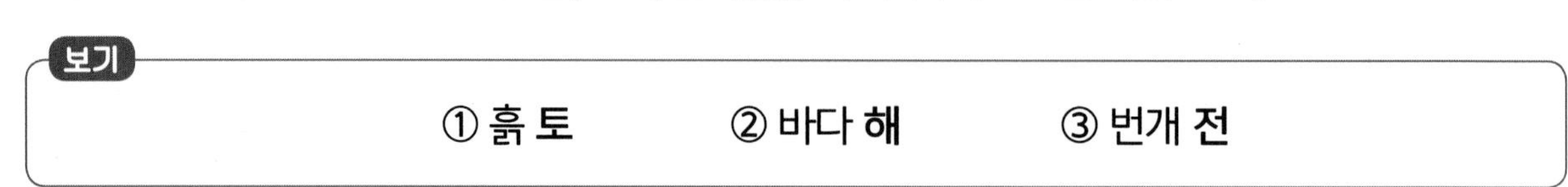

보기

① 흙 토　　② 바다 해　　③ 번개 전

**2** 다음 밑줄 친 한자어의 음(소리)을 쓰세요.

우리 아버지는 바다를 지키는 海軍입니다. → (　　　　　)

**3** 다음 한자의 뜻과 음(소리)으로 알맞은 것을 찾아 ○표 하세요.

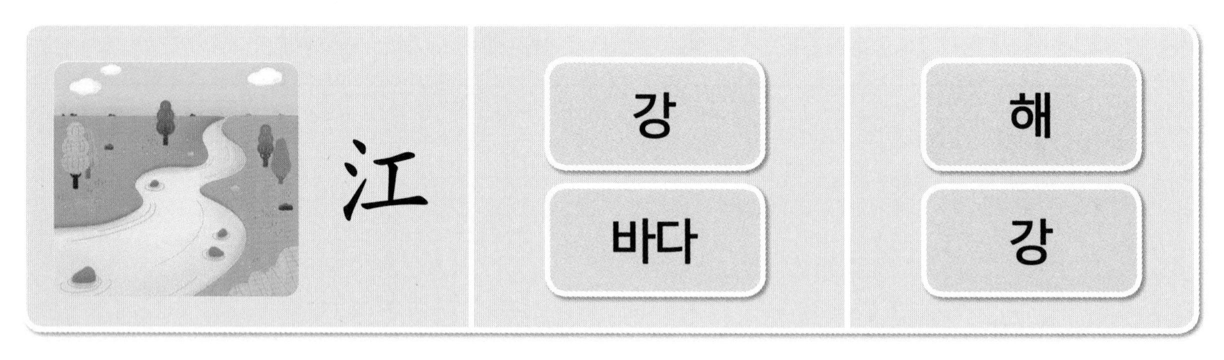


**4** 다음 □ 안에 들어갈 한자에 ○표 하세요.

아프리카에 물이 잘 나오는 □도가 필요합니다.

水 / 木

맞은 개수 / 8개

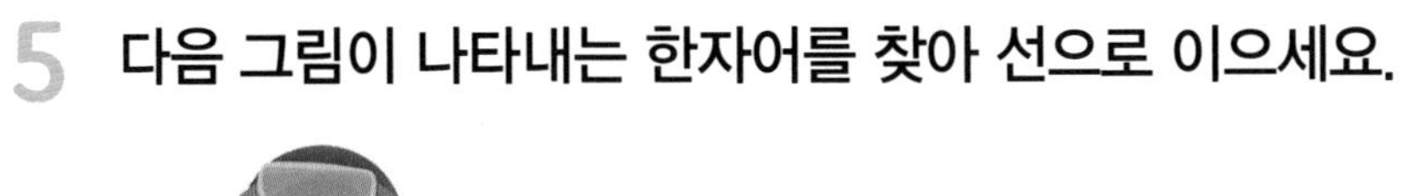

**5** 다음 그림이 나타내는 한자어를 찾아 선으로 이으세요.

• 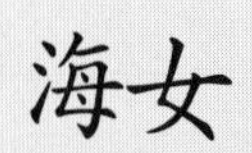 海女

• 海軍

1주

**6** 다음 중 '흙 토'에 해당하는 한자를 찾아 빨간색으로 색칠하세요.

 江

 土

 海

**7** □에 공통으로 들어갈 한자에 ✔표 하세요.

식□

□도

→

 水 □

海 □

**8** 다음 밑줄 친 음(소리)에 해당하는 한자를 찾아 ✔표 하세요.

가정에서 사용하는 세탁기,
냉장고 등의 가<u>전</u>제품은 비쌉니다.

 海 □

 水 □

 電 □

# 1주 특강 생각을 키워요 ①

창의·융합·코딩

국어+한문 다음 만화를 읽고, 성어의 뜻을 생각해 보세요.

人山人海

사람 인 메 산 사람 인 바다 해

여름 휴가철을 맞아 많은 사람들이 산과 바다를 찾았습니다. 현장 상황, 함께 보시죠.

아빠, 이거 보세요! 산과 바다에 사람들이 엄청 많이 몰려갔대요!
그렇구나. 인산인해라는 말이 딱 들어맞는 상황이네.

◐ 정답 5쪽

1
주

◆ 성어의 뜻을 살펴보며 빈칸에 알맞은 한자를 채우세요.

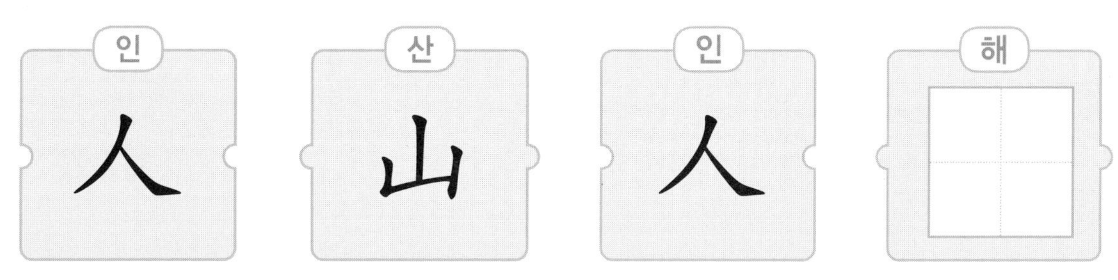


→ '사람이 산을 이루고 바다를 이루었다.'라는 뜻으로, 사람이 수없이 많이 모인 상태를 이르는 말

코딩+한문 탐험가가 보물을 찾으러 가고 있어요. 암호 를 풀며 보물이 있는 위치를 찾아 ○표 하세요.

◐ 정답 6쪽

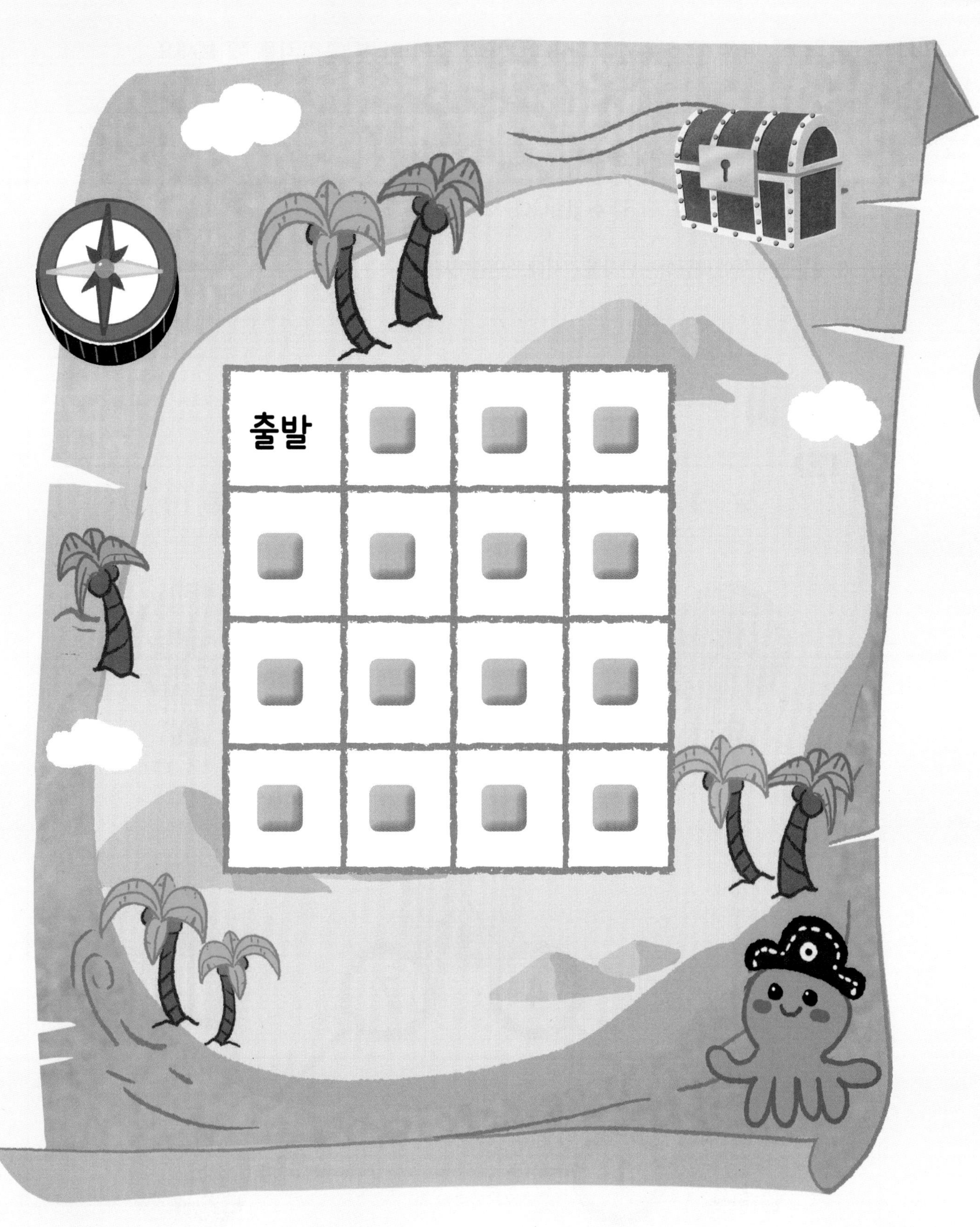

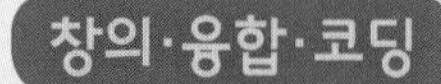


# 생각을 키워요 ③

수학+한문 다음 규칙 을 참고하여 예시 와 같이 한 붓 그리기를 해 보세요.

**규칙**

1. 종이에서 연필을 뗄 수 없습니다.
2. 이미 지나간 선을 또 지나갈 수 없습니다.
3. 보기 의 뜻에 해당하는 한자를 순서대로 연결하세요.

**예시**

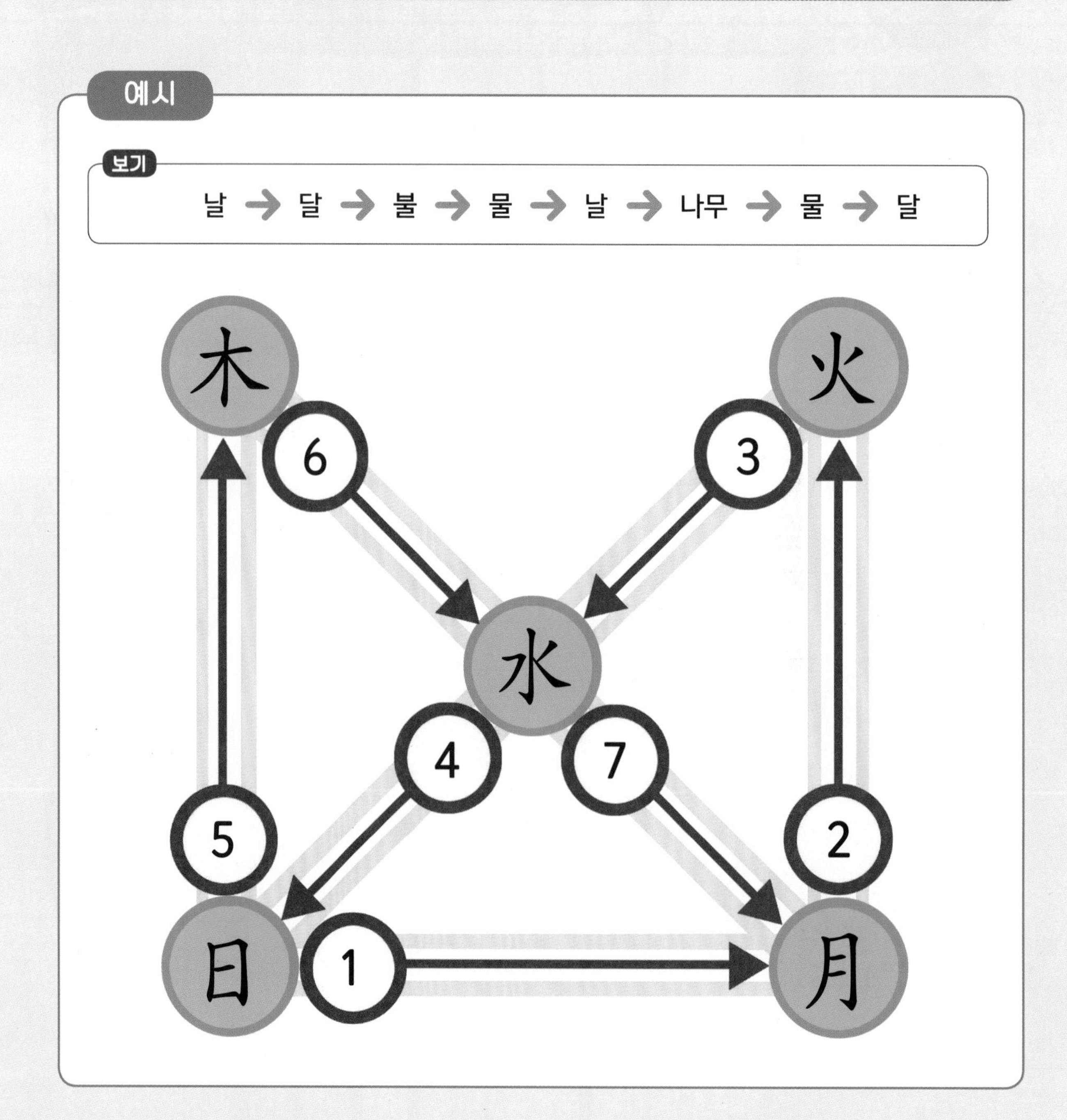

◐ 정답 6쪽

**보기**

물 → 강 → 번개 → 바다 → 흙 → 번개 → 물 → 흙 → 강

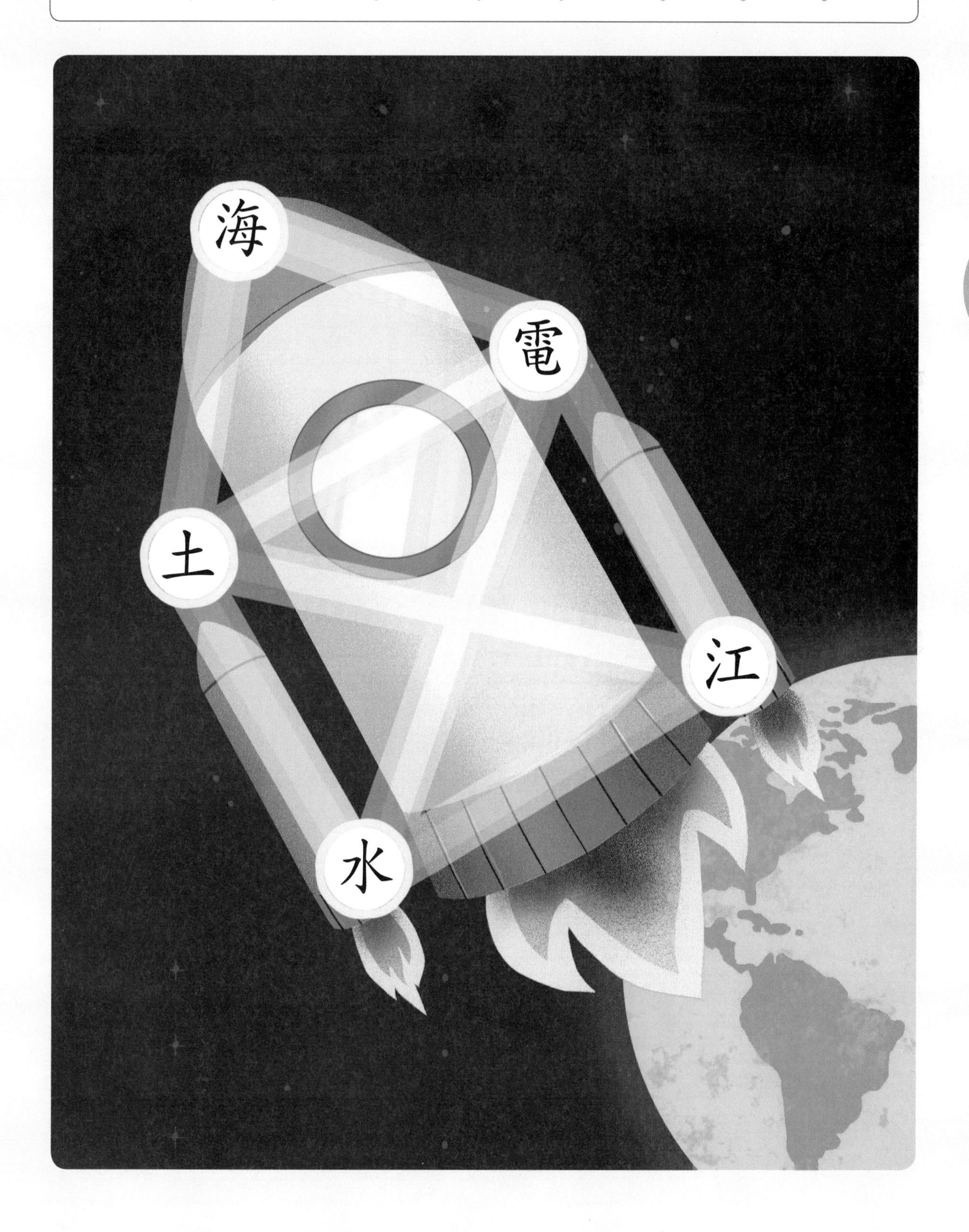


1주

# 2주

# 2주에는 무엇을 공부할까? ①

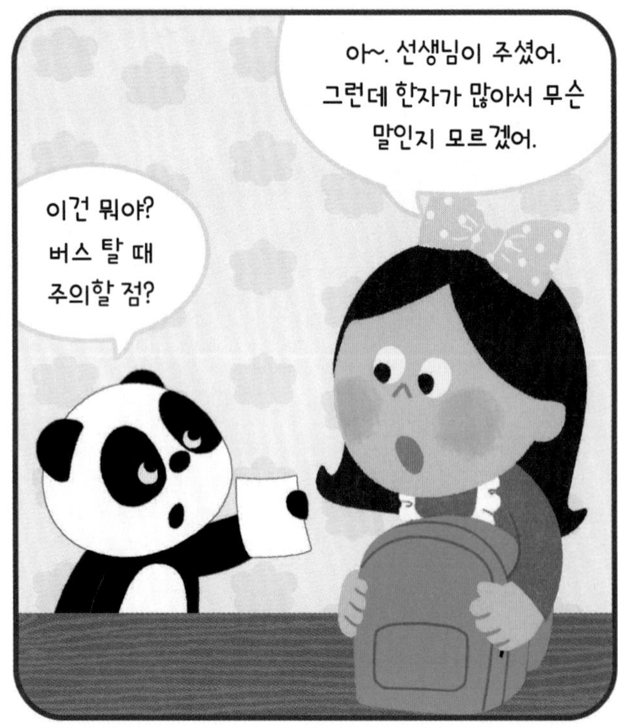


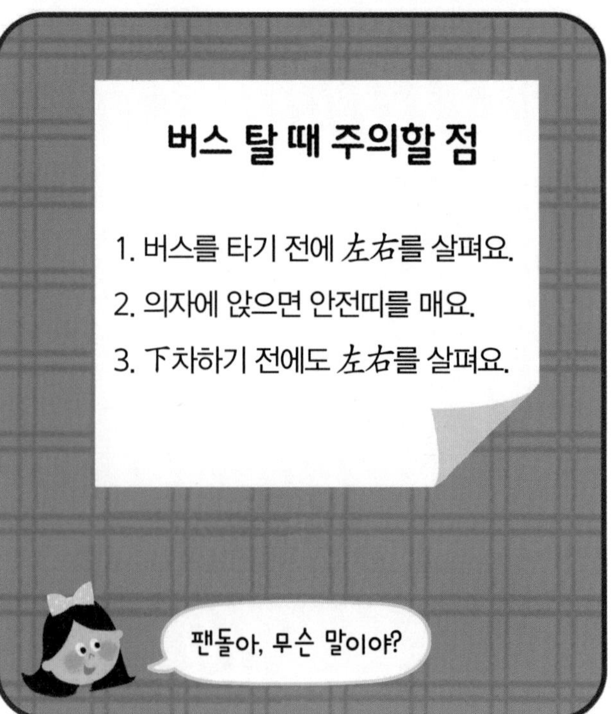

버스 탈 때 주의할 점
1. 버스를 타기 전에 左右를 살펴요.
2. 의자에 앉으면 안전띠를 매요.
3. 下차하기 전에도 左右를 살펴요.
팬돌아, 무슨 말이야?

## 이번 주에는 어떤 한자를 공부할까?

1일 上 윗 상
2일 下 아래 하
3일 左 왼 좌
4일 右 오른 우
5일 方 모 방

한자를 색칠해 봐!
下

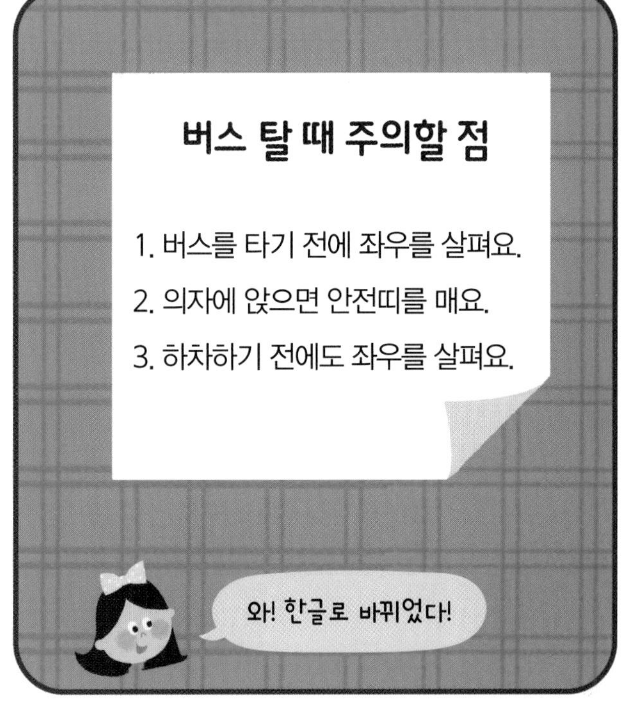

버스 탈 때 주의할 점
1. 버스를 타기 전에 좌우를 살펴요.
2. 의자에 앉으면 안전띠를 매요.
3. 하차하기 전에도 좌우를 살펴요.
와! 한글로 바뀌었다!

버스를 타기 전에
좌우를 살펴요.
의자에 앉으면 안전띠를 매요.

하차하기 전에도 꼭 좌우를 살펴요.
무사히 학교에 도착!

2주

# 2주에는 무엇을 공부할까? ②

✪ 이번 주에 배울 한자들이 그림 속에 숨어 있어요. 보기를 참고해서 한자를 찾아보세요.

보기

上 윗 상　下 아래 하　左 왼 좌　右 오른 우　方 모 방

◐ 정답 7쪽

2주

# 上 윗 상

다음 글을 읽고, 오늘 배울 한자를 확인해 보세요.

체육 시간에 팀을 나누어 피라미드 게임을 했어요. 친구들이 엎드리면 그 위[上]에 올라가고, 다시 그 위[上]에 또 올라가는 게임인데, 나는 마지막에 제일 상(上)단에 올라가 두 팔을 벌리고 일어서야 했어요. 엎드린 친구들은 힘들어했지만, 나는 재미있었어요.

공부한 날 月 日

# 윗 상

기준이 되는 선보다 위에 있음을 나타내는 글자로, 위를 뜻해요.

QR을 보며 따라 써요!

연하게 쓰인 한자를 따라 써 본 후, 빈칸에 바르게 쓰세요.

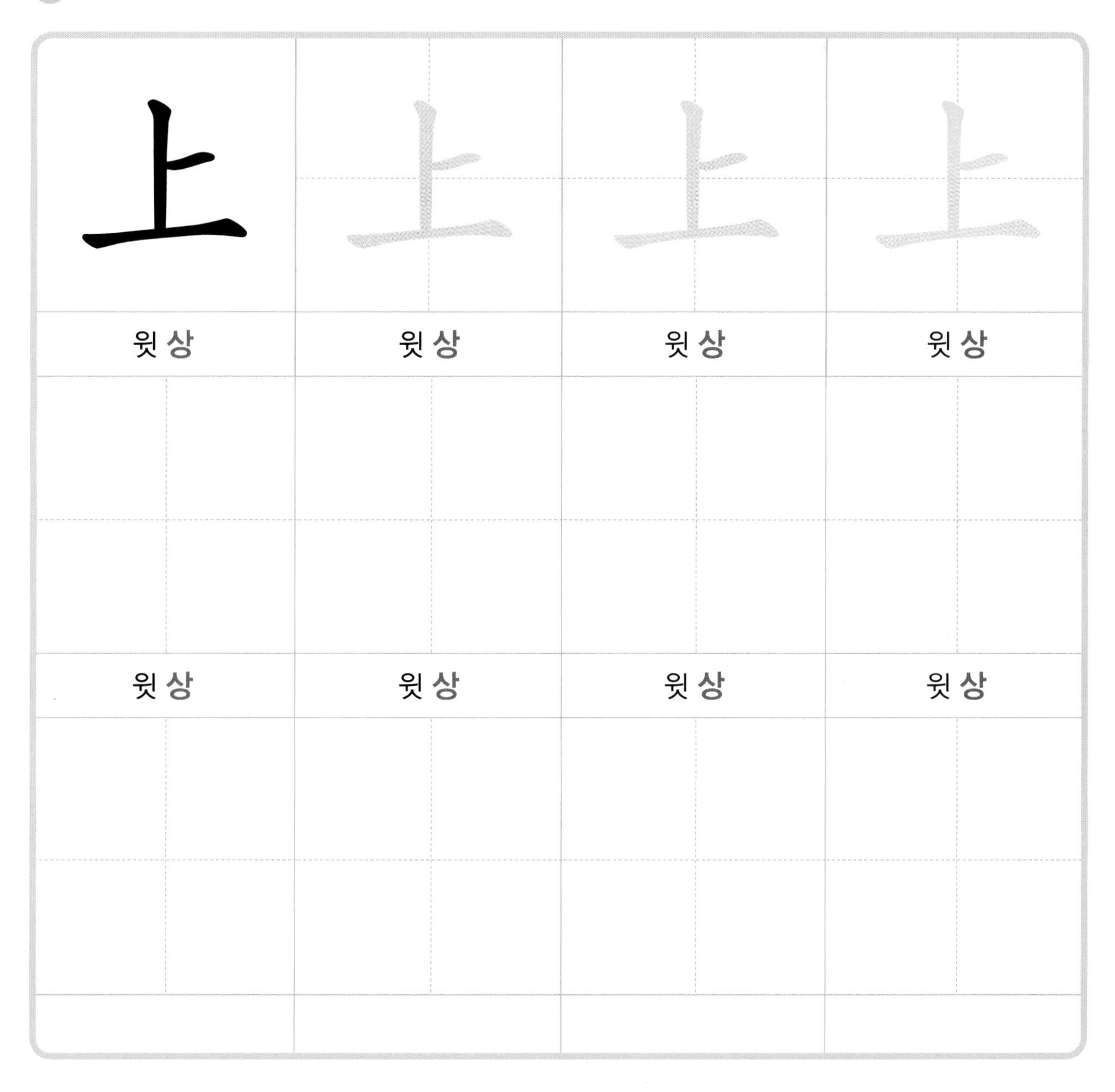
上
上
上
上
윗 상
윗 상
윗 상
윗 상
윗 상
윗 상
윗 상
윗 상

2주

1일
위치 한자

# 上 윗 상

## 한자어를 익혀요

자, 두 줄로 서세요.
오늘은 청팀과 백팀, 두 팀으로 나누어 그림자밟기 게임을 해 볼까요?
게임은 이 지상(地上)의 선 안에서만 하는 겁니다. 그 선을 나가면 아웃!
와~, 신난다. 난 이 게임이 제일 재밌는 거 같아.
세상(世上)에 재밌는 게임이 얼마나 많은데.
그림자를 밟히는 사람은 아웃이고, 마지막에 사람이 많이 남은 팀이 이기는 거예요. 시간은 20분. 자, 시작!
삐빅
와~! 얍!
야, 이거 놔. 아파!
너 밟혔어, 나가!
자, 그만~. 남은 사람은 팀별로 서 보세요.
청팀이 1명 더 남았네. 청팀 승리!
너네는 막 잡아당기고 그랬잖아. 반칙이야.
어허, 어디 이긴 사람한테 덤비나. 상하(上下) 구별을 못하는구나.
와~
짝 짝 짝

'上(윗 상)'이 들어간 한자어를 알아봅시다.

상 한글로 써 보아요.

上 한자로 써 보아요.

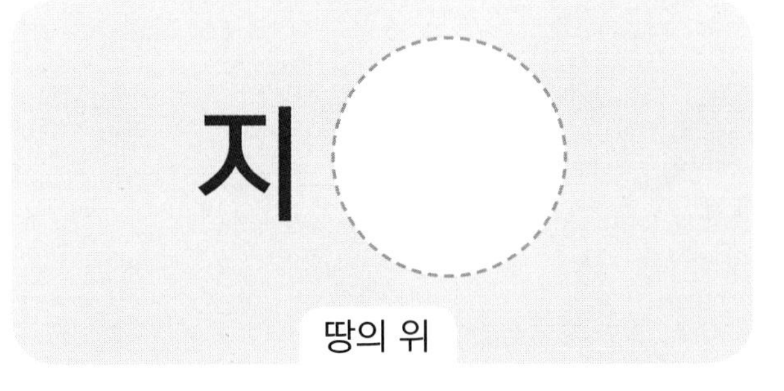

지
땅의 위


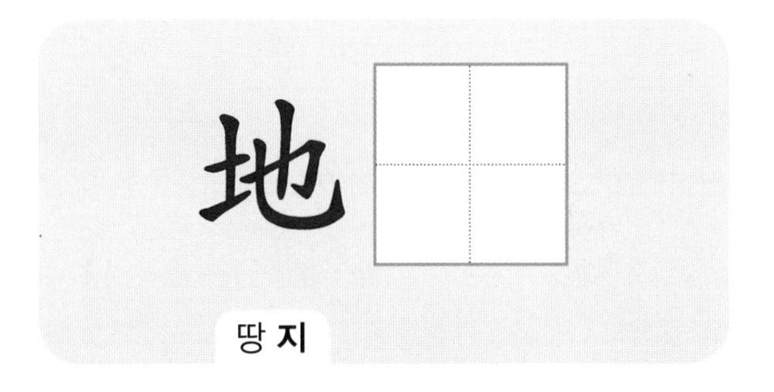

地
땅 **지**

세
사람이 사는 모든 사회


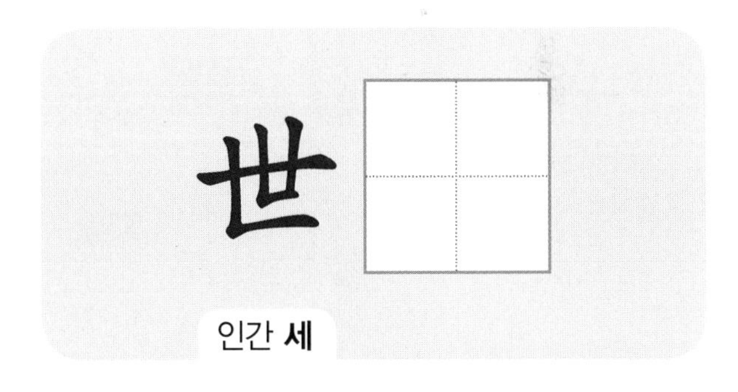

世
인간 **세**


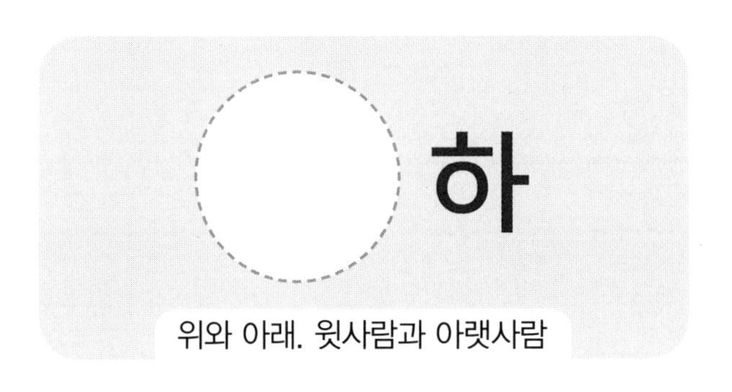

하
위와 아래. 윗사람과 아랫사람


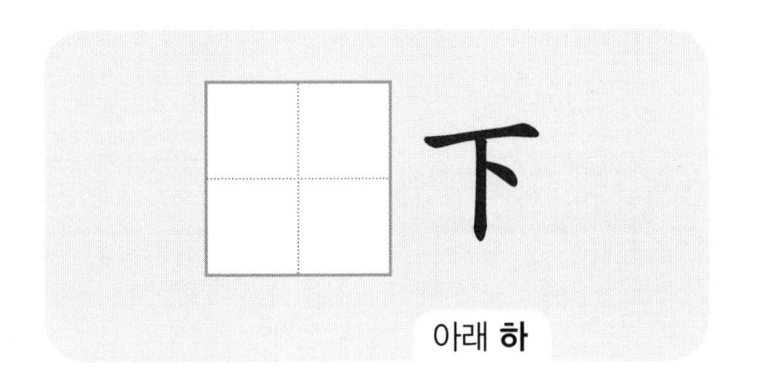

下
아래 **하**


2주

# 上 윗 상

기초 실력을 키워요

**1** '上'의 뜻에 해당하는 위치에 있는 친구를 찾아 ✔표 하세요.

**아하! 이렇게 푸는구나!**

'上'은 기준선보다 위에 있음을 나타내요.

## 2 ◌에 알맞은 글자를 넣어 낱말을 만드세요.

위와 아래

땅의 위

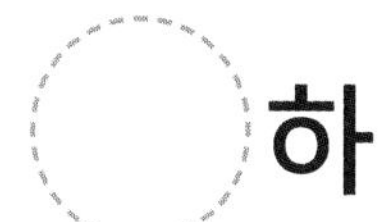

◌ 하

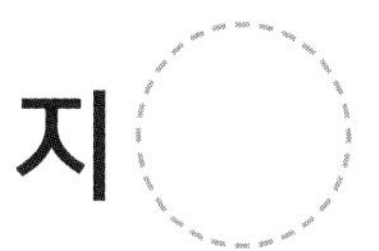

지 ◌

## 3 다음 밑줄 친 한자의 음(소리)을 보기 에서 찾아 그 번호를 쓰세요.

보기

① 강 ② 장 ③ 상

- 세上에는 다양한 생물들이 살고 있습니다. → (                    )

급수 유형

## 4 다음 밑줄 친 말에 해당하는 한자를 보기 에서 찾아 그 번호를 쓰세요.

보기

① 土 ② 水 ③ 上

- UFO 같은 비행 물체가 땅 위로 내려왔다. → (                    )

# 下 아래 하

다음 글을 읽고, 오늘 배울 한자를 확인해 보세요.

날씨가 너무 좋아서 오늘은 하(下)교 후에
초롱이랑 다은이랑 나무 아래[下]에 앉아 책을 읽었어요.
책은 마음의 양식이라고 배웠는데,
마음의 양식이 많으면 어떻게 되는지 궁금해요.
다은이는 책을 많이 읽으니까 마음의 양식이 많을 것 같아요.

공부한 날 月 日

# 아래 하

기준이 되는 선보다 아래에 있음을 나타내는 글자로, 아래를 뜻해요.

연하게 쓰인 한자를 따라 써 본 후, 빈칸에 바르게 쓰세요.

| 下 | 下 | 下 | 下 |
|---|---|---|---|
| 아래 하 | 아래 하 | 아래 하 | 아래 하 |
| | | | |
| 아래 하 | 아래 하 | 아래 하 | 아래 하 |
| | | | |

2주

2일
위치 한자


# 下 아래 하

## 한자어를 익혀요

엄마! 작년에 많이 봤던 제 야구 만화책 어디 있어요?

그거 내가 책 정리하면서 지하(地下) 창고에 갖다 놨어. 왜?
아, 누나. 왜 물어보지도 않고 그래. 오늘 노을이 빌려주기로 했단 말이야.

네가 아무 데나 놓고는 왜 나한테 화를 내니?
몰라, 누나가 찾아 놔.

이러다 학교 늦겠다. 벼리야, 네 하교(下校) 시간에 맞춰서 엄마가 찾아 놓을게. 바로 올 거지?
네, 근데 오늘 보람 초등학교에 가서 야구 시합하기로 해서 거기 가야 해요. 참, 엄마. 보람 초등학교 가려면 어떻게 가요?

버스 타고 보람 시장 앞에서 하차(下車)하면 돼. 5분 정도 걸릴 거야.

네, 다녀오겠습니다! 만화책 찾아 놔 주세요, 엄마!
아옹다옹
메롱~

'下(아래 하)'가 들어간 한자어를 알아봅시다.

한글로 써 보아요.

한자로 써 보아요.

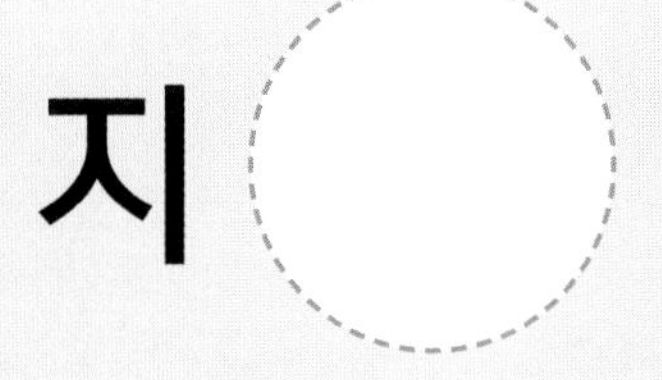


땅속. 땅속을 파고 만든 구조물의 공간

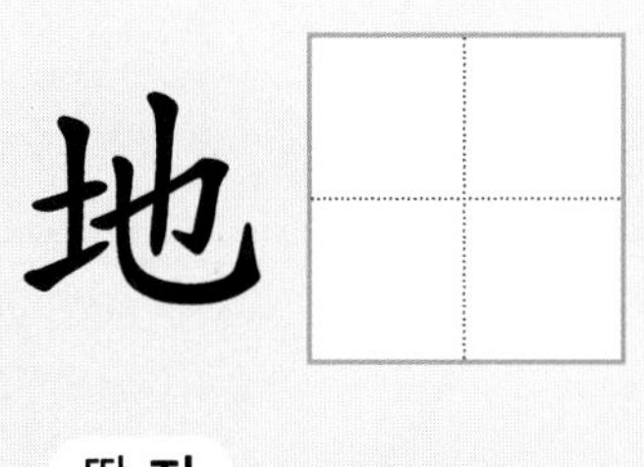


땅 **지**

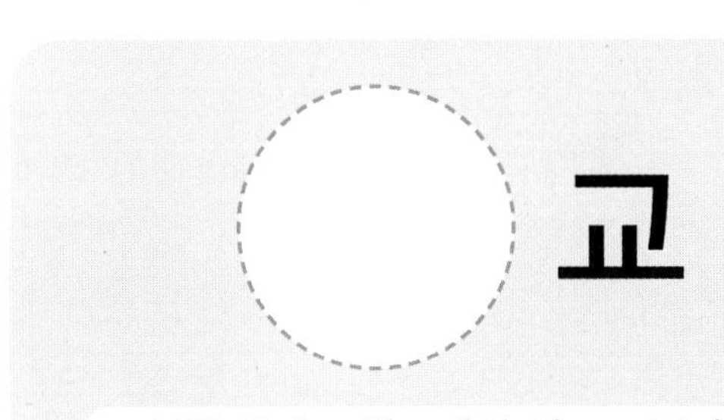


공부를 끝내고 학교에서 집으로 돌아옴.

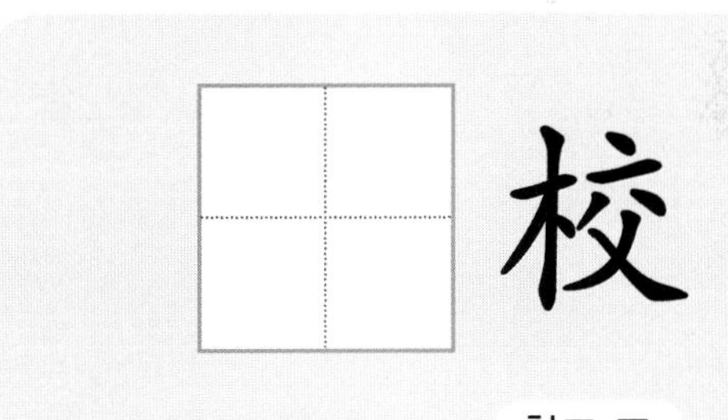


학교 **교**

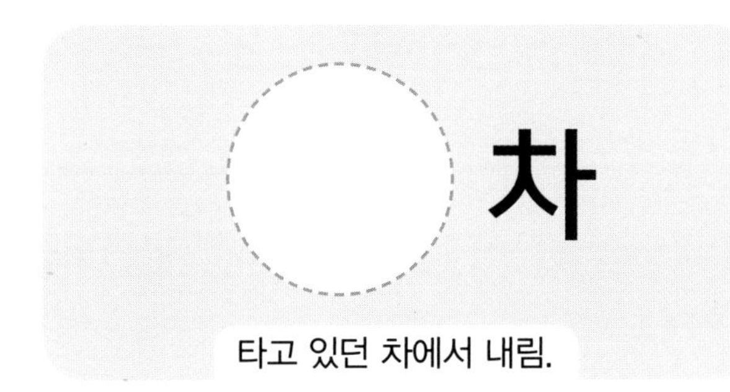


타고 있던 차에서 내림.

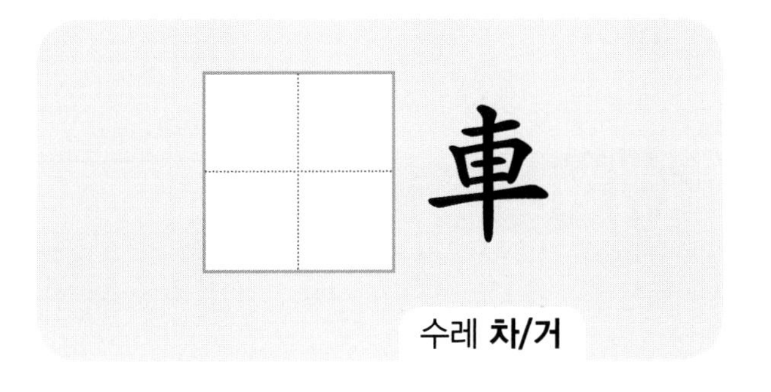


수레 **차/거**

2
주

下 아래 하

기초 실력을 키워요

1 주어진 뜻과 음(소리)에 알맞은 한자를 그림에서 찾아 쓰세요.

윗 상 ☐  아래 하 ☐

아하! 이렇게 푸는구나!

한자가 쓰여 있는 공의 위치를 잘 보면 알 수 있어요.

어휘 확인

## 2 다음 뜻에 해당하는 낱말을 찾아 선으로 이으세요.

타고 있던 차에서 내림. •　　　　• 지하

땅속 •　　　　• 하차



급수 유형

## 3 다음 밑줄 친 말에 해당하는 한자를 보기에서 찾아 그 번호를 쓰세요.

보기

① 上　　② 土　　③ 下

- 아무래도 이 그림은 위와 <u>아래</u>가 바뀐 것 같습니다. → (　　　　)

급수 유형

## 4 다음 밑줄 친 한자어의 음(소리)을 쓰세요.

나는 <u>下校</u> 후에 피아노 학원에 갑니다. → (　　　　)

# 左 왼 좌

다음 글을 읽고, 오늘 배울 한자를 확인해 보세요.

나는 운동을 좋아하는데, 특히 야구를 좋아합니다.
주말에는 친구들과 동네 야구도 자주 하고,
근처 초등학교와 야구 시합도 합니다.
그런데 야구할 때 공을 왼[左]손으로 던져서
상대방이 치기 어렵대요.
앞으로 무적의 좌(左)완 투수가 될지도 모르겠어요.

공부한 날 月 日

# 左 왼 좌

[ 도구를 쥐고 오른손이 하는 일을 돕는 왼손의 모양을 그린 글자로, **왼쪽**을 뜻해요. ]

**연하게 쓰인 한자를 따라 써 본 후, 빈칸에 바르게 쓰세요.**

| 左 | 左 | 左 | 左 |
|---|---|---|---|
| 왼 좌 | 왼 좌 | 왼 좌 | 왼 좌 |
| | | | |
| 왼 좌 | 왼 좌 | 왼 좌 | 왼 좌 |
| | | | |

2주

3일
위치 한자

# 左 왼 좌

## 한자어를 익혀요

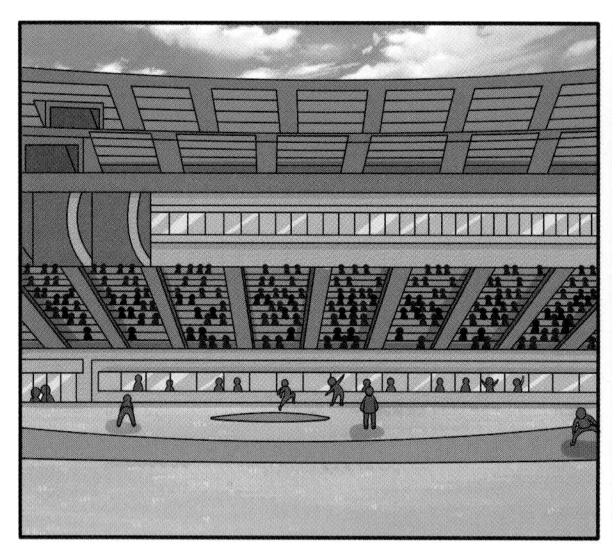

오랜만에 야구장에 오니까 재밌구나. 그런데 좌우(左右) 스탠드가 많이 비었네.

그렇네요. 근데 아빠, 아빠도 야구 많이 했어요?
그럼. 회사에서도 야구 팀에 있었지.

아빠는 최고의 좌타자(左打者)였지. 4번 타자.
와, 그럼 몇 번 타자였어요?
우쭐

우와, 멋있어요. 아빠 성적은 어느 정도였는데요?
글쎄. 정확하게 기억은 안 나는데.
후보 선수

와, 홈런! 좌측(左側) 담을 넘어가는 2점 홈런이다!
에이, 아빠. 거짓말이구나.
벌떡

'左(왼 좌)'가 들어간 한자어를 알아봅시다.

좌

한글로 써 보아요.

左

한자로 써 보아요.

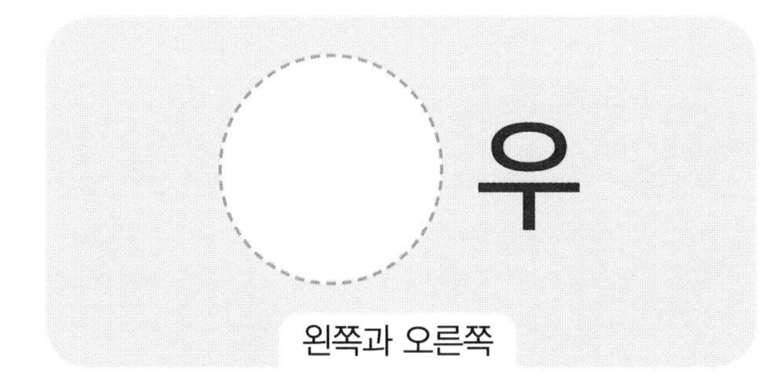
우
왼쪽과 오른쪽

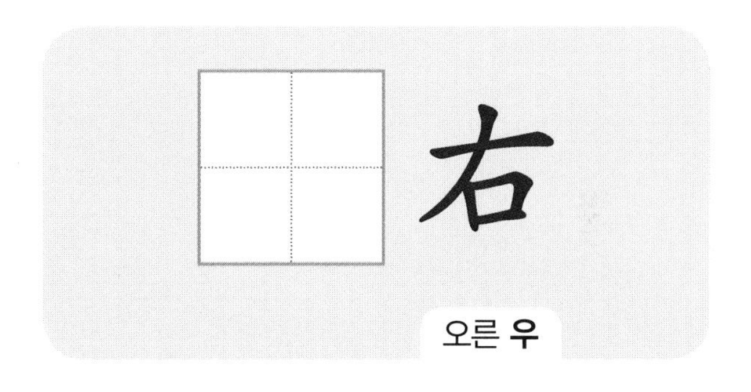
右
오른 우

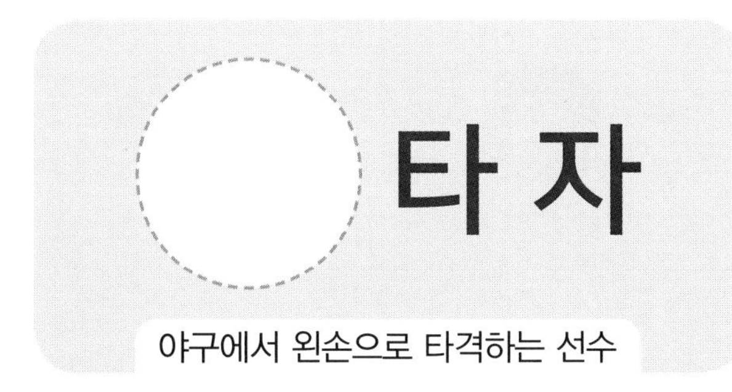
타 자
야구에서 왼손으로 타격하는 선수

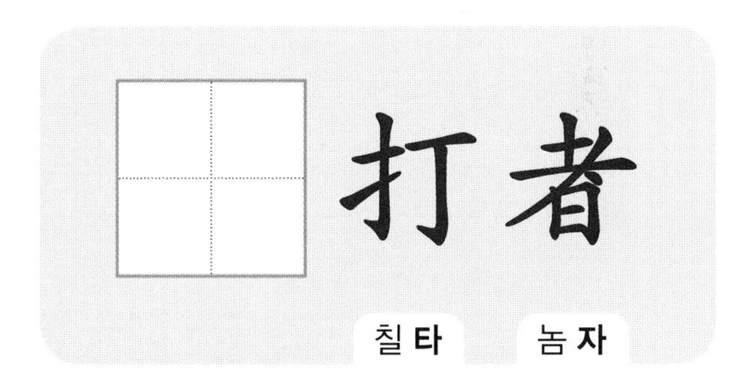
打 者
칠 타
놈 자

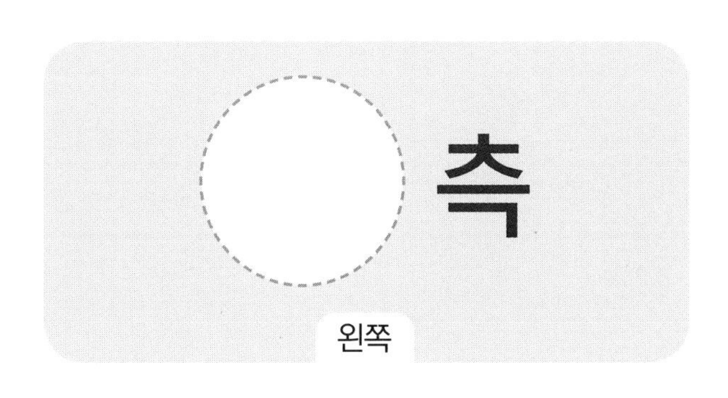
측
왼쪽

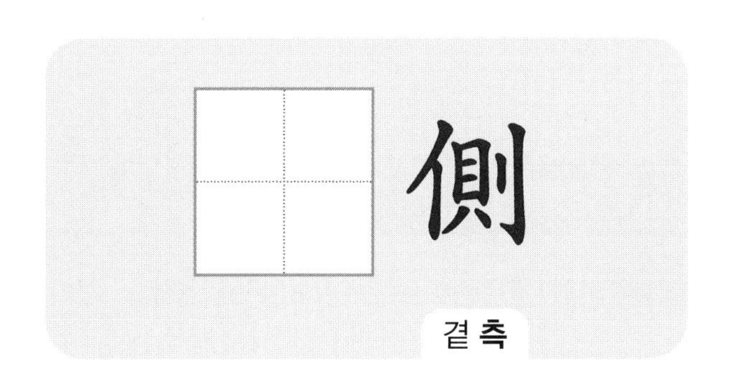
側
곁 측

2
주

# 左 왼 좌

## 기초 실력을 키워요

**1** 빨간 화살표가 가리키는 방향에 해당하는 한자를 찾아 ✔표 하세요.

上 ☐ 左 ☐ 下 ☐

**아하! 이렇게 푸는구나!**

위, 아래, 왼쪽 중 어느 쪽인지 생각해 보세요.

어휘 확인

## 2 ◌에 알맞은 글자를 넣어 낱말을 만드세요.

왼쪽과 오른쪽

55
야구에서 왼손으로
타격하는 선수

우

타자



급수 유형

## 3 다음 한자의 뜻과 음(소리)을 보기에서 찾아 그 번호를 쓰세요.

보기

① 윗 상　　② 왼 좌　　③ 아래 하

- 左 → (　　　　　　)

급수 유형

## 4 다음 밑줄 친 말에 해당하는 한자를 보기에서 찾아 그 번호를 쓰세요.

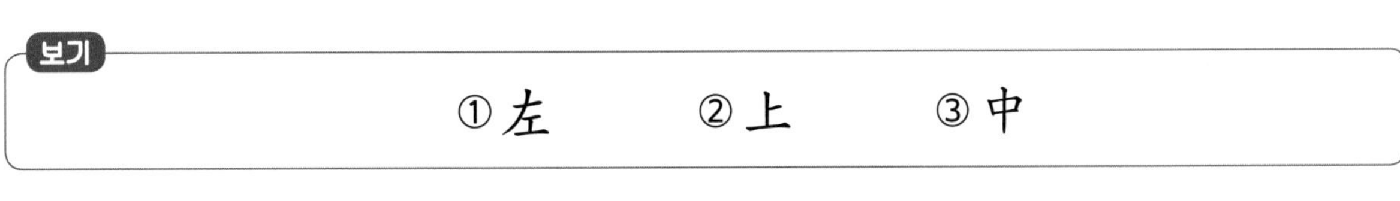
보기

① 左　　② 上　　③ 中

- 우리나라는 자동차 운전석이 <u>왼</u>쪽에 있습니다. → (　　　　　　)

# 右 오른 우

다음 글을 읽고, 오늘 배울 한자를 확인해 보세요.

학교에서 축구를 하다 부딪쳐 넘어지면서 오른[右]팔을 다쳤어요.
보건실에 가서 치료를 받고 붕대도 감았습니다.
오른[右]팔을 다쳐서 평소에 안 쓰던 왼팔을 쓰니까 밥을 먹을 때도,
씻을 때도, 글씨를 쓸 때도 많이 불편했습니다.
다치지 않도록 조심해야겠어요.

공부한 날 月 日

## 오른 우

입에 밥을 넣는 손인 오른손의 모양을 나타낸 글자로, **오른쪽**을 뜻해요.

**연하게 쓰인 한자를 따라 써 본 후, 빈칸에 바르게 쓰세요.**

| 右 | 右 | 右 | 右 |
|---|---|---|---|
| 오른 우 | 오른 우 | 오른 우 | 오른 우 |
| | | | |
| 오른 우 | 오른 우 | 오른 우 | 오른 우 |
| | | | |

2주

# 右 오른 우

## 한자어를 익혀요

에구, 조심하지.
어쩌다 그랬어.

제가 축구 잘하잖아요.
우측(右側)으로 멋있게 치고
들어가는데 그만 수비 선수랑
부딪쳤어요.

'右(오른 우)'가 들어간 한자어를 알아봅시다.

한글로 써 보아요.

한자로 써 보아요.

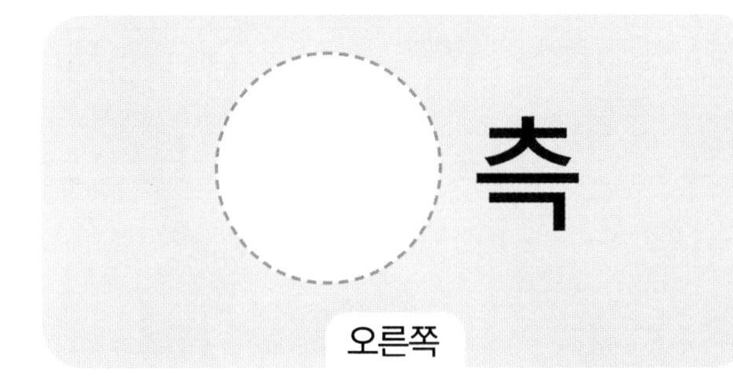


오른쪽

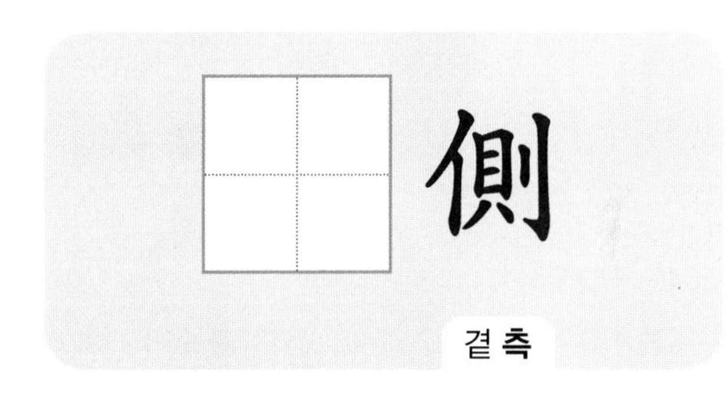


곁 **측**

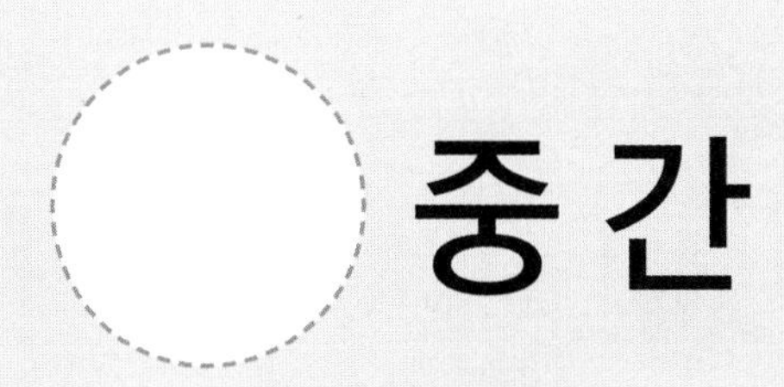


중앙과 오른쪽의 사이.
야구에서 우익수와 중견수의 사이

가운데 **중** 사이 **간**

**회전**

차 따위가 오른쪽으로 돎.

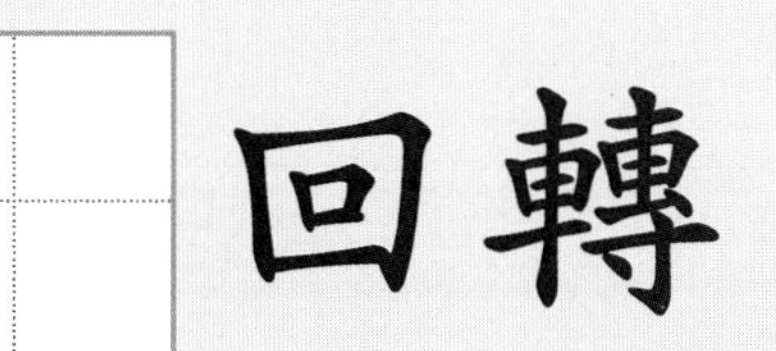


돌아올 **회** 구를 **전**

2주

# 右 오른 우

## 기초 실력을 키워요

**1** 그림을 보며 한자의 알맞은 뜻과 음(소리)을 보기 에서 찾아 그 번호를 쓰세요.

보기

① 아래 **하**　② 왼 **좌**　③ 오른 **우**　④ 윗 **상**

**아하! 이렇게 푸는구나!**

'상하좌우(上下左右)'의 뜻을 잘 생각해 보세요.

어휘 확인

**2** ( )에 알맞은 글자를 넣어 낱말을 만드세요.

차 따위가 오른쪽으로 돎.

오른쪽

회전

측

급수 유형

**3** 보기와 같이 다음 한자의 뜻과 음(소리)을 쓰세요.

보기

下 → 아래 하

- 右 → (　　　　　　)

급수 유형

**4** 다음 밑줄 친 말에 해당하는 한자를 보기에서 찾아 그 번호를 쓰세요.

보기

① 右　　② 左　　③ 上

- 타자가 친 공이 <u>오른쪽</u> 담을 넘어가는 홈런이 되었습니다. → (　　　　　　)

# 方 모 방

다음 글을 읽고, 오늘 배울 한자를 확인해 보세요.

수업이 끝나고 운동장에서 그림자밟기 놀이를 했어요.
해가 서쪽 방(方)향으로 질 때라 그런지 그림자가 길었어요.
그런데 햇빛이 들지 않는 나무 그림자 가운데 들어가니까
내 그림자가 안 보여요. 아하, 해가 지는 방(方)향을 따라
햇빛이 들지 않는 그늘에 들어가면 술래에게 잡히지 않겠네요.

공부한 날 月 日

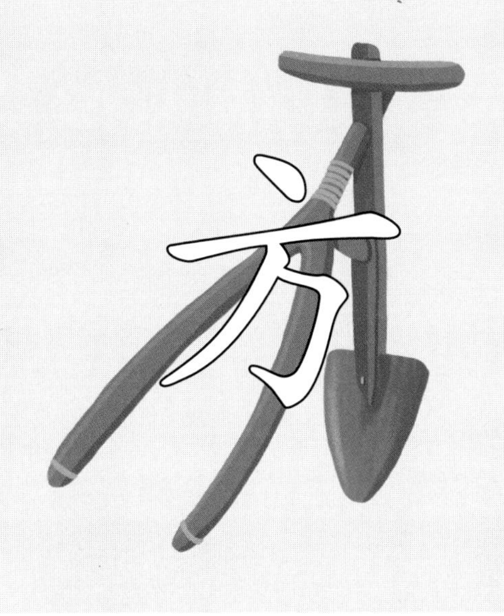


# 모 방

소가 끄는 쟁기를 나타낸 글자예요. 소가 일정한 방향으로 나아가며 네모난 밭을 간다는 데서 모, 방향이라는 뜻이 생겼어요.

연하게 쓰인 한자를 따라 써 본 후, 빈칸에 바르게 쓰세요.

| 方 | 方 | 方 | 方 |
|---|---|---|---|
| 모 방 | 모 방 | 모 방 | 모 방 |
| | | | |
| 모 방 | 모 방 | 모 방 | 모 방 |
| | | | |

2주

5일
위치 한자

# 方 모 방

## 한자어를 익혀요

으~, 밟지 마!
안 돼!
저리 가!

아, 힘들어. 이제 그만하자. 해가 지고 있어.
선생님 말씀대로 해가 서쪽 방향(方向)으로 지면서 점점 아래로 내려가니까 그림자가 길어져서 더 재미있어.

배고파. 집에 가서 밥 먹어야겠다.
야, 우리 숙제해야지. 팀별로 가고 싶은 지방(地方)을 하나 골라 조사하는 거.

아, 그 숙제 어떻게 하는 건지 방법(方法) 알아?
그냥 지방을 하나 골라서 조사하면 되는 거 아냐?

맞아. 그 지방의 유명한 곳, 음식, 사투리 뭐 그런 거 알아보고 쓰면 될 것 같아.

와! 다은아, 넌 어떻게 그렇게 똑똑하니?

그걸 이제 알았어?

'方(모 방)'이 들어간 한자어를 알아봅시다.

한글로 써 보아요.

한자로 써 보아요.

어떤 곳을 향한 쪽

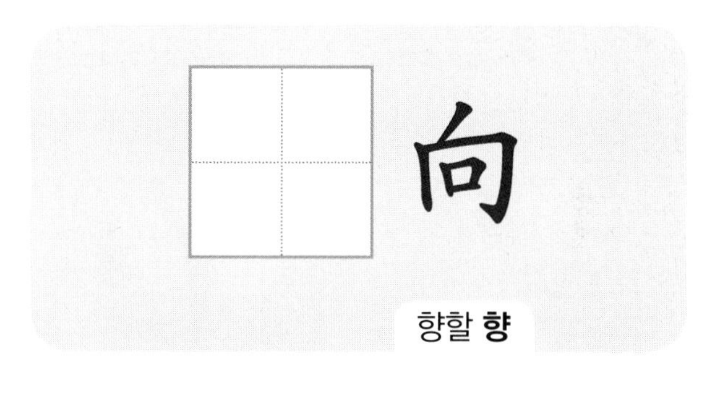


향할 **향**

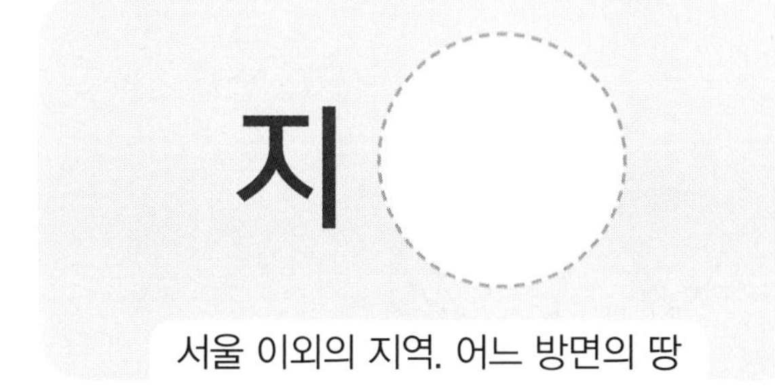


서울 이외의 지역. 어느 방면의 땅

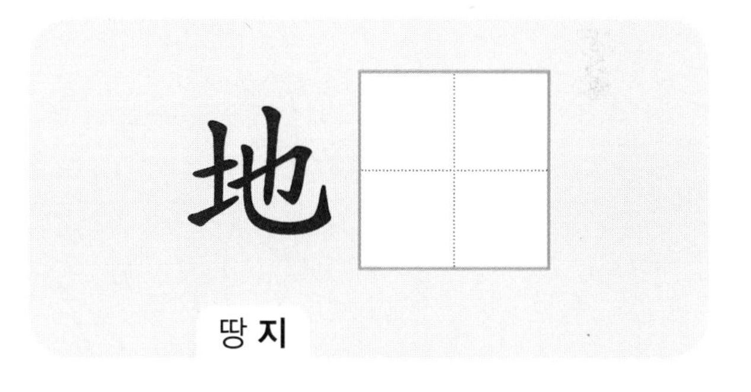


땅 **지**

어떤 일을 해 나가기 위한 수단이나 방식

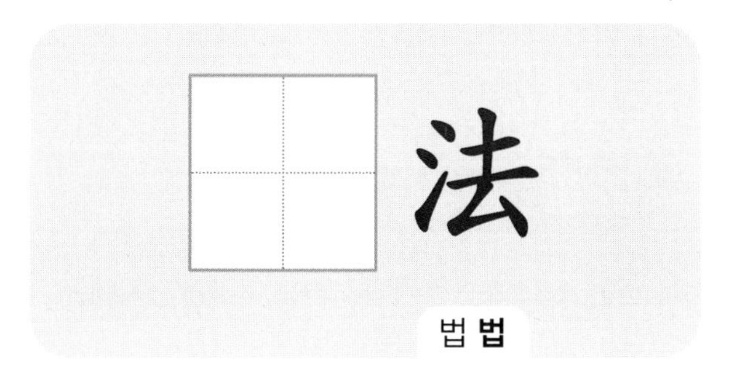


법 **법**

5일
위치 한자

# 方 모 방

기초 실력을 키워요

**1** 한자의 알맞은 뜻과 음(소리)을 찾아 보기와 같이 꽃을 주어진 색으로 칠하고, 줄기와 잎도 자유롭게 칠해 보세요.

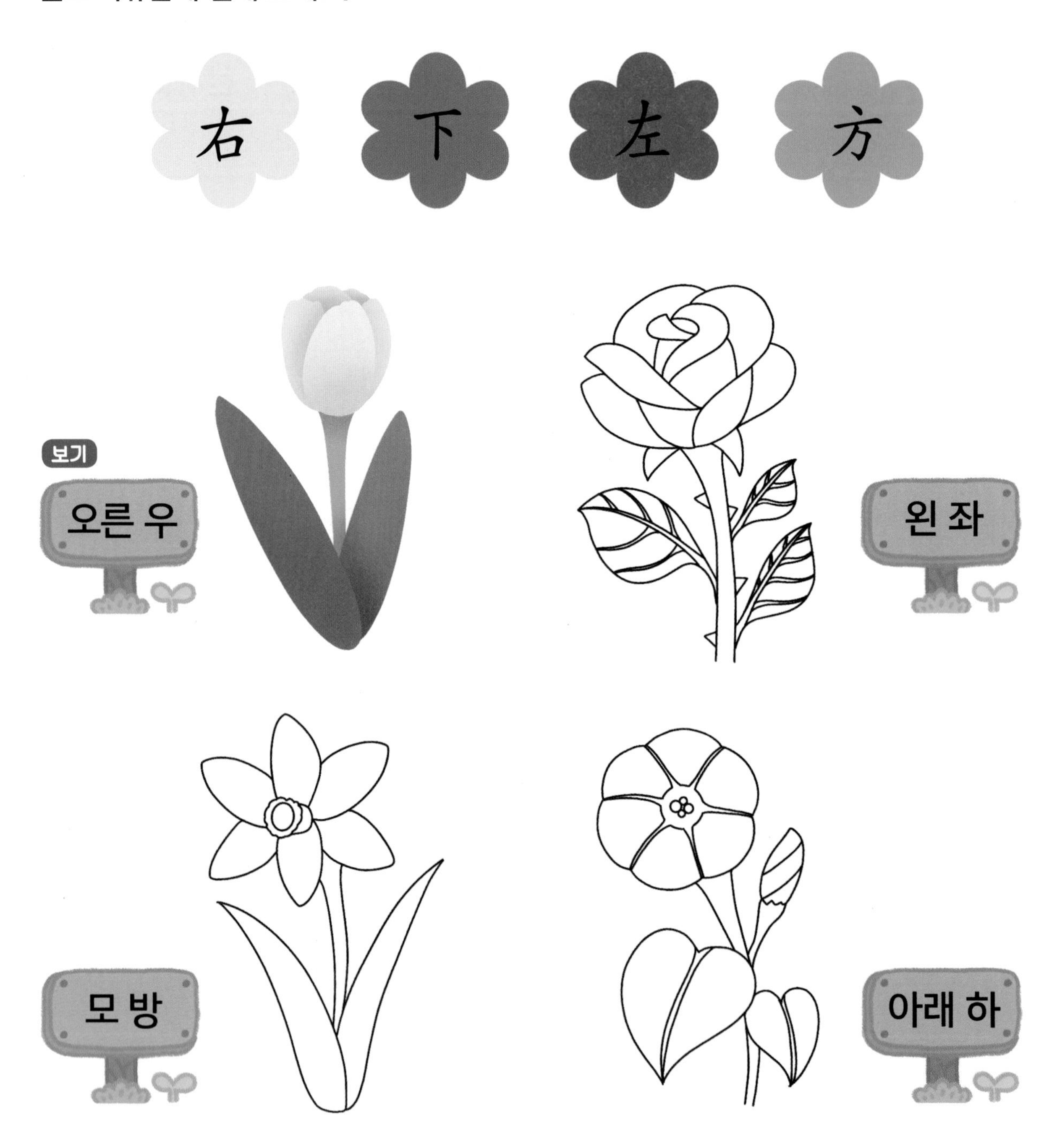
右
下
左
方
보기
오른 우
왼 좌
모 방
아래 하

아하! 이렇게 푸는구나!

'方'은 소가 끄는 쟁기의 모습을 나타낸 글자예요.

어휘 확인

**2** □ 안에 공통으로 들어갈 한자를 찾아 ✔표 하세요.

□ 향 어떤 곳을 향한 쪽
지 □ 서울 이외의 지역

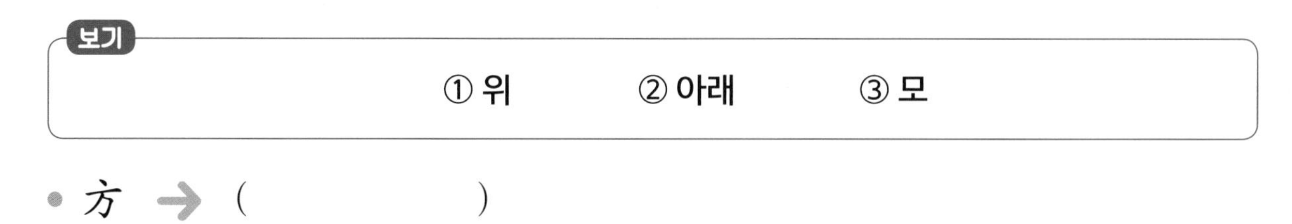
右
左
方



급수 유형

**3** 다음 한자의 뜻을 보기에서 찾아 그 번호를 쓰세요.

| 보기 | | |
|---|---|---|
| ① 위 | ② 아래 | ③ 모 |

• 方 → (          )

급수 유형

**4** 다음 밑줄 친 한자의 음(소리)을 보기에서 찾아 그 번호를 쓰세요.

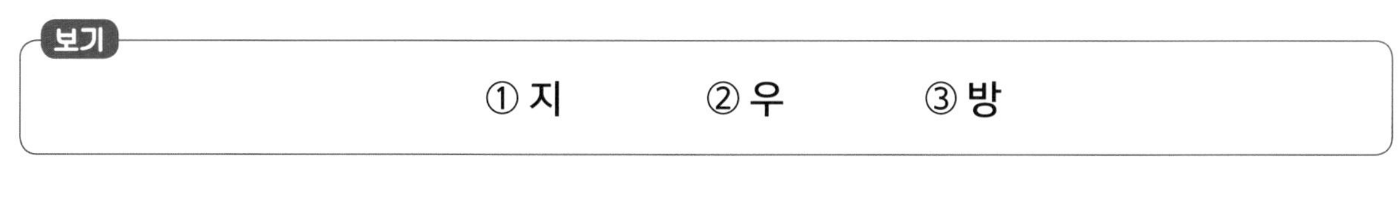
보기
① 지 ② 우 ③ 방

• 외국어를 잘하는 _方_법은 꾸준히 하는 것입니다. → (          )

2주

# 누구나 100점 TEST

**1** 다음 그림에 해당하는 한자를 보기 에서 찾아 그 번호를 쓰세요.

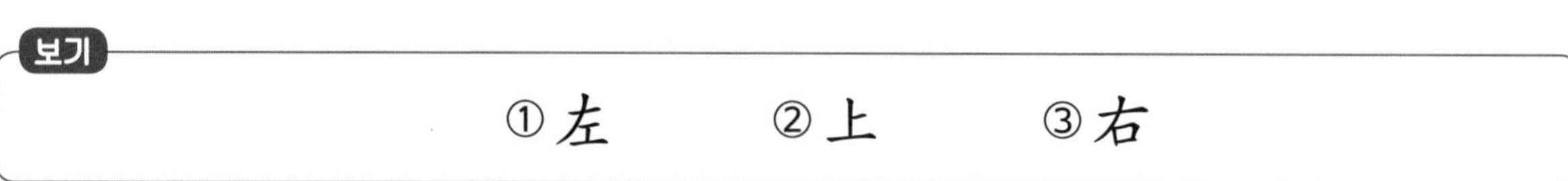
보기
① 左 ② 上 ③ 右

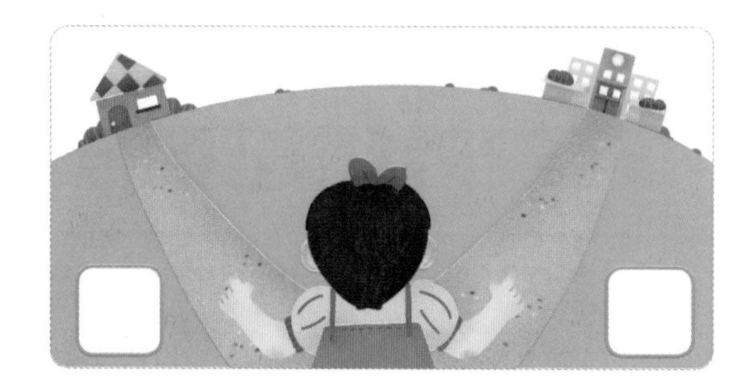

**2** 다음 밑줄 친 한자어의 음(소리)을 쓰세요.

에어컨의 찬 바람이
上下左右로 골고루 퍼집니다.

→ (                    )

**3** 다음 □ 안에 들어갈 한자에 ○표 하세요.

아이들이 버스에서 □ 차(車)하고 있습니다.
上 / 下

**4** 다음 한자의 뜻과 음(소리)으로 알맞은 것을 찾아 ○표 하세요.

方
모
둥글다
향
방

**5** 다음 한자의 뜻과 음(소리)으로 알맞은 것을 찾아 선으로 이으세요.

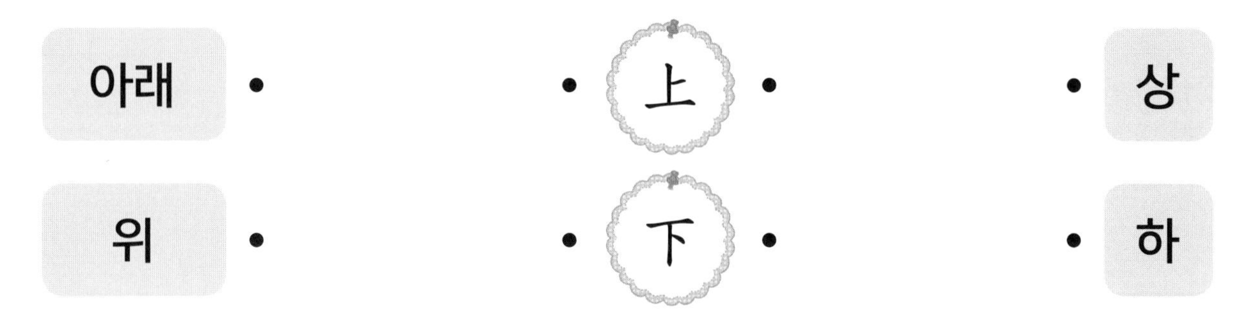


**6** 다음 밑줄 친 말에 해당하는 한자를 쓰세요.

**7** 다음 그림에 해당하는 한자를 보기 에서 찾아 그 번호를 쓰세요.

**8** 다음 밑줄 친 낱말에 해당하는 한자어를 보기 에서 찾아 그 번호를 쓰세요.

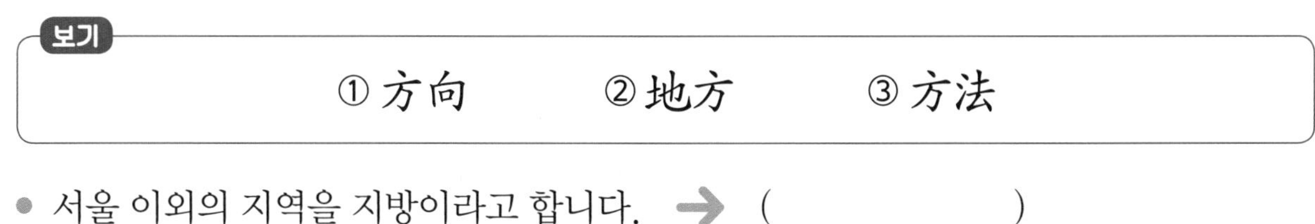


- 서울 이외의 지역을 지방이라고 합니다. → (　　　　　　)

# 2주 특강 생각을 키워요 1

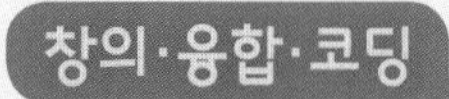


국어+한문 **다음 만화를 읽고, 성어의 뜻을 생각해 보세요.**

右往左往

오른 우 갈 왕 왼 좌 갈 왕

이제 내 실력을 보여
줘야 할 차례가 왔군!
와, 벼리. 대단하다!
휙휙
휙

이게 나의
우왕좌왕 작전이다!
벼리야, 우왕좌왕은
그럴 때 쓰는 말이 아니야.
폴짝
폴짝

2주

◆ 성어의 뜻을 살펴보며 빈칸에 알맞은 한자를 채우세요.

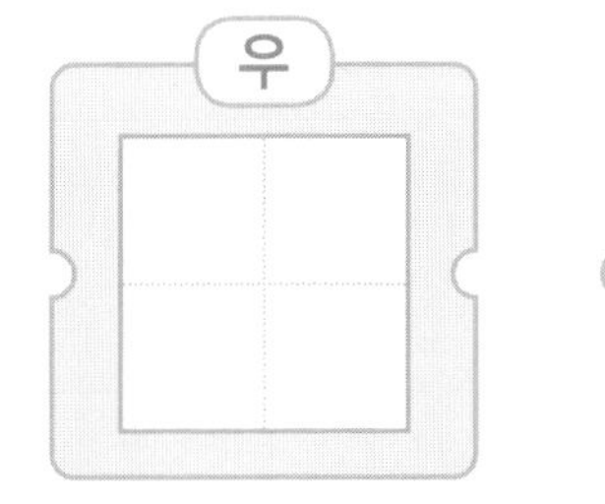
우

왕
往

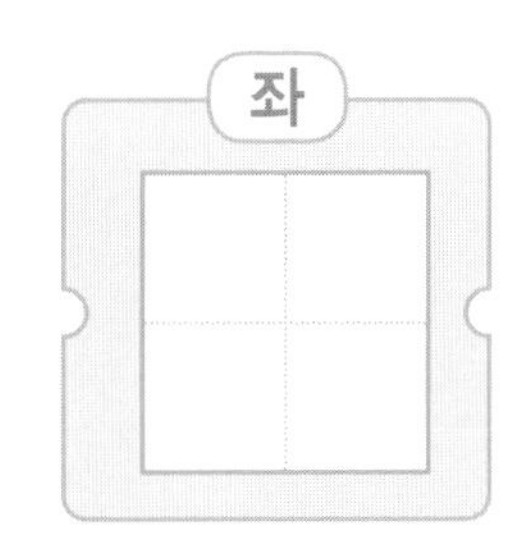
좌

왕
往

→ '오른쪽으로 갔다 왼쪽으로 갔다 하다.'라는 뜻으로, 이리저리 왔다 갔다 하며 일이나 나아가는 방향을 종잡지 못함을 이르는 말

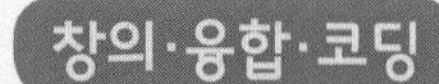


# 생각을 키워요 ②

코딩+한문 명령어를 사용하여 친구들의 반을 찾아 주세요.

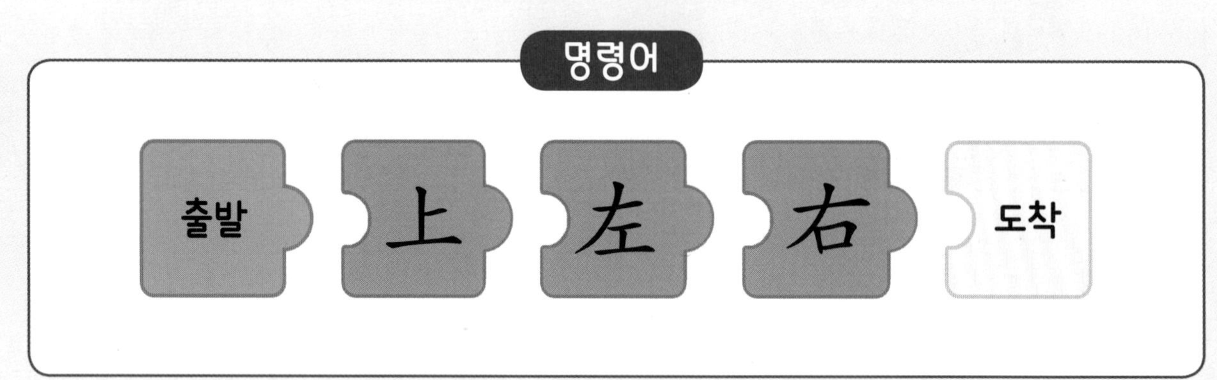

1. 시작할 때는 '출발' 명령어를 사용하세요.
2. 끝마칠 때는 '도착' 명령어를 사용하세요.

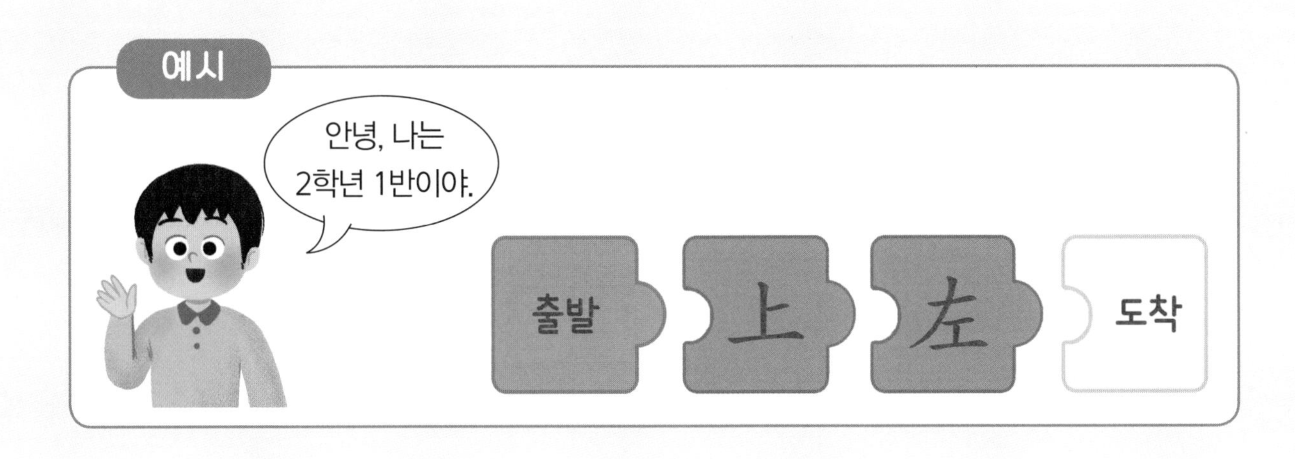
예시
안녕, 나는 2학년 1반이야.
출발
上
左
도착

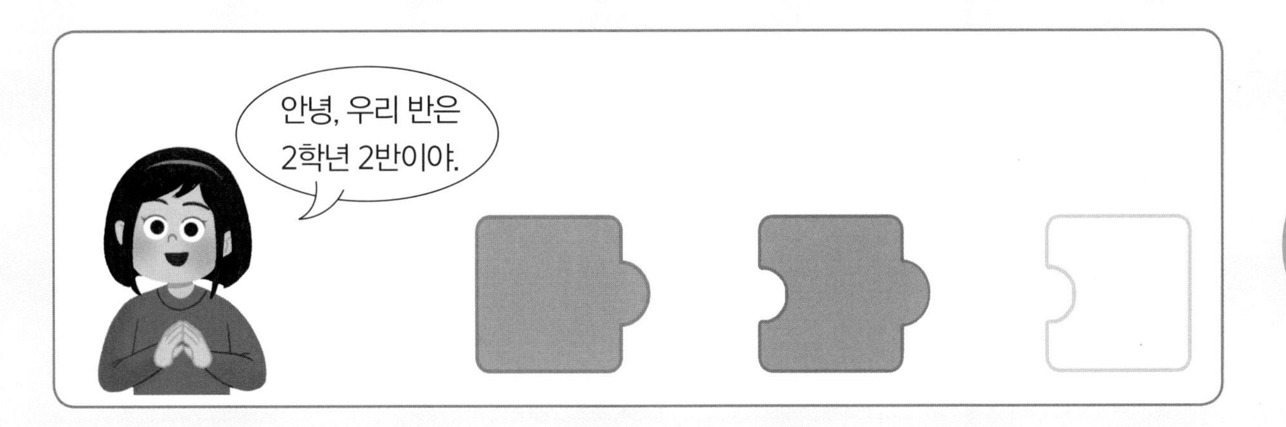
안녕, 우리 반은 2학년 2반이야.

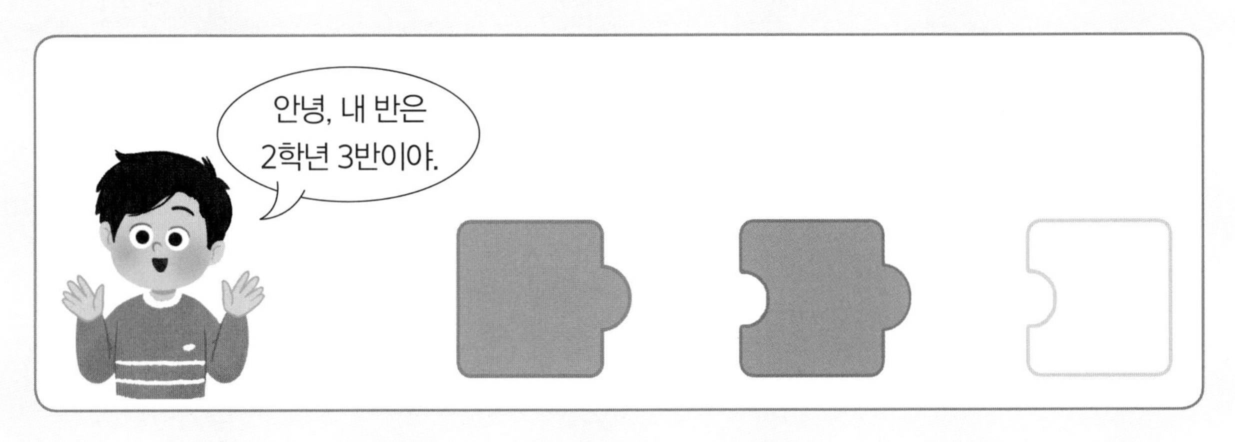
안녕, 내 반은 2학년 3반이야.

안녕, 나는 2학년 4반이야.

창의·융합·코딩

# 생각을 키워요 3

국어+한문 다음 질문의 답을 쓰고, 휴대 전화에서 답을 순서대로 연결하여 잠금 화면을 풀어 보세요.

## 질 문

1. 上의 음(소리)은 무엇인가요?

2. 地上의 음(소리)은 무엇인가요?

3. '왼쪽'을 뜻하는 한자는 무엇인가요?

4. 右의 음(소리)은 무엇인가요?

5. 方의 뜻은 무엇인가요?

6. 地下의 음(소리)은 무엇인가요?

7. '아래'를 뜻하는 한자는 무엇인가요?

2
주

3주

# 3주에는 무엇을 공부할까? ①

놀이공원
놀이공원이다! 놀이 기구 타러 가자.

당연히 청룡 열차부터 타야지!
좋아. 뭐부터 탈까?

줄이 좀 기네.
청룡 열차
이용 시간
평일 10시~19시
주말, 공휴일 10시~20시
기다리는 동안 유의 사항을 읽어 보자.

청룡 열차 이용 시 유의 사항
1. 청룡 열차 外부로 손을 내밀지 마세요.
2. 자리별 무서운 정도
前방 | 中 | 後방
덜 무서움 | 무서움 | 매우 무서움
무슨 말이야?

## 이번 주에는 어떤 한자를 공부할까?

1일 前 앞 전

2일 後 뒤 후

3일 内 안 내

4일 外 바깥 외

5일 中 가운데 중

3주

# 3주 3주에는 무엇을 공부할까? ②

✪ 이번 주에 배울 한자들이 그림 속에 숨어 있어요. 보기를 참고하여 한자를 찾아 ○표 하세요.

보기

前 앞 전　後 뒤 후　内 안 내　外 바깥 외　中 가운데 중

정답 12쪽

# 前 앞 전

다음 글을 읽고, 오늘 배울 한자를 확인해 보세요.

오늘은 교실 대청소를 하는 날.
먼저 책상을 모두 뒤로 밀어 놓고,
여자아이들이 전(前)방에서 빗자루로 바닥을
쓸면 남자아이들은 뒤에서 걸레질을 합니다.
앞[前]쪽의 칠판도 뒤쪽의 사물함도 깨끗하게
청소합니다.

오늘 배울 한자

前

앞 전

공부한 날 月 日

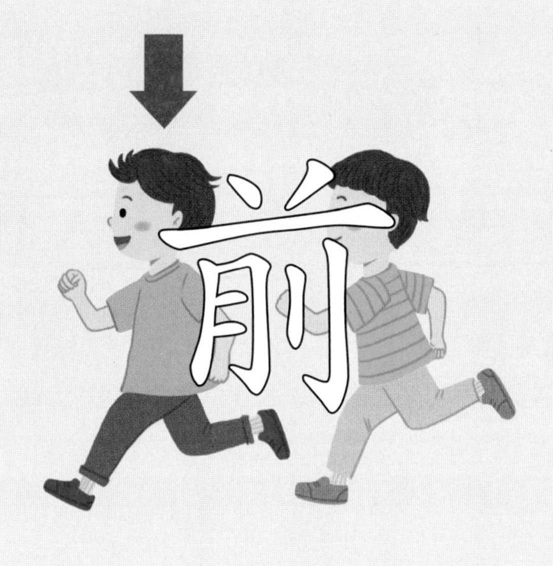

# 앞 전

앞으로 나아가는 것을 나타낸 글자로, 앞을 뜻해요.

연하게 쓰인 한자를 따라 써 본 후, 빈칸에 바르게 쓰세요.

| 前 | 前 | 前 | 前 |
| --- | --- | --- | --- |
| 앞 전 | 앞 전 | 앞 전 | 앞 전 |
| | | | |
| 앞 전 | 앞 전 | 앞 전 | 앞 전 |
| | | | |

3주

1일
위치 한자

# 前 앞 전

## 한자어를 익혀요

자, 다들 일어나세요.
대청소합시다. 여보, 얘들아.
기상, 기상!

아유, 피곤해.
식전(食前)부터 왜
이리 난리예요?
조금만 더 자면
안 돼요?

오늘은 아침 식사 후
대청소하는 날입니다. 사전(事前)
준비는 다 되었지요?

각자 자기 방부터 청소하고,
그다음에는 대문을 나가 전방(前方)
10m까지 청소합니다. 실시!
잘 먹었습니다.

나는 차만
닦으면 되지요?
당연히 당신도
세차 끝나면 대문 앞
청소하러 가야죠.

엄마, 물티슈
주세요.
엄마,
청소기
어디 있어요?
여보,
마른 수건 좀
부탁해요.

'前(앞 전)'이 들어간 한자어를 알아봅시다.

한글로 써 보아요.

한자로 써 보아요.

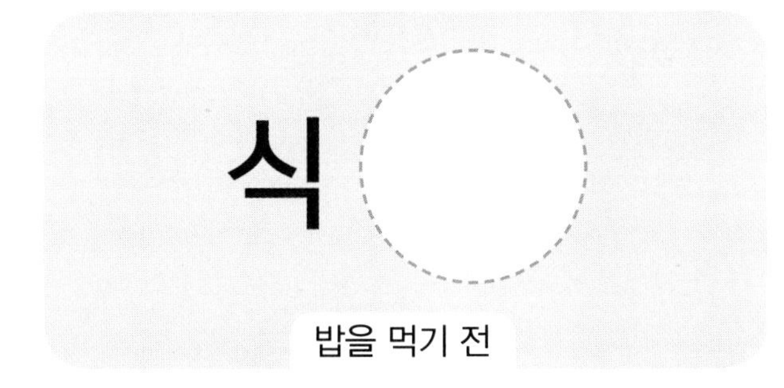


밥을 먹기 전

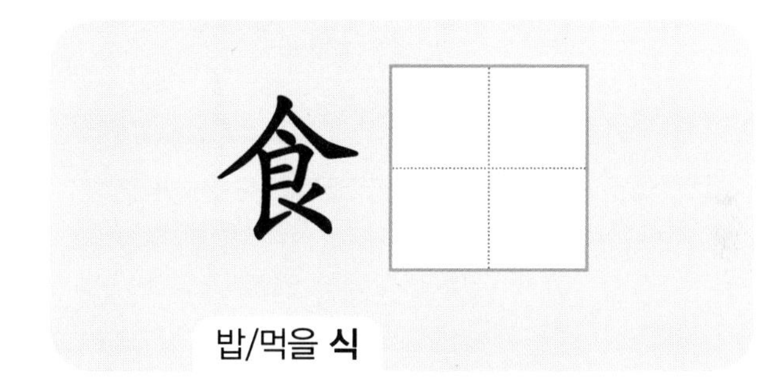


밥/먹을 **식**

일을 시작하기 전

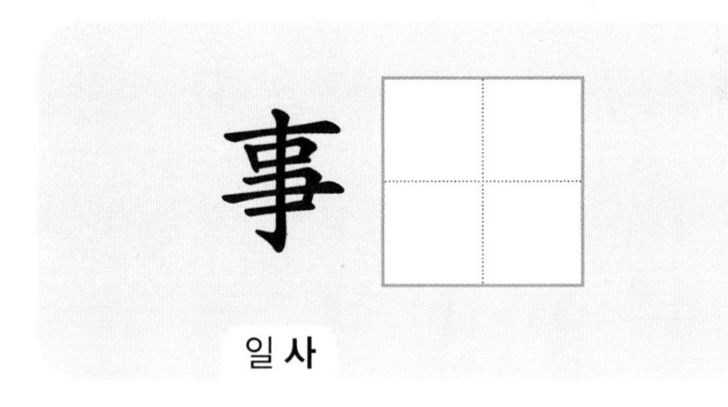


일 **사**

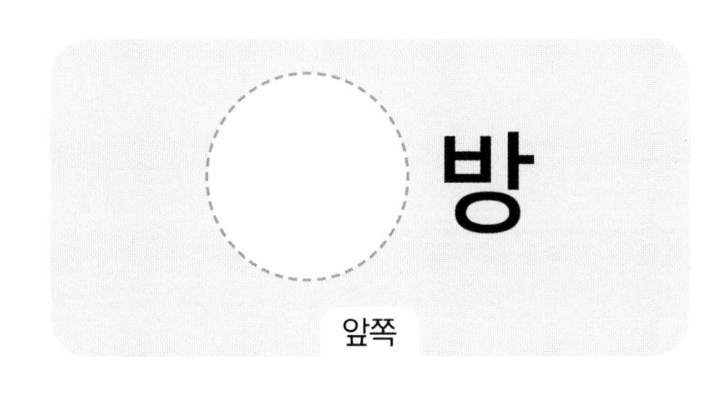


앞쪽

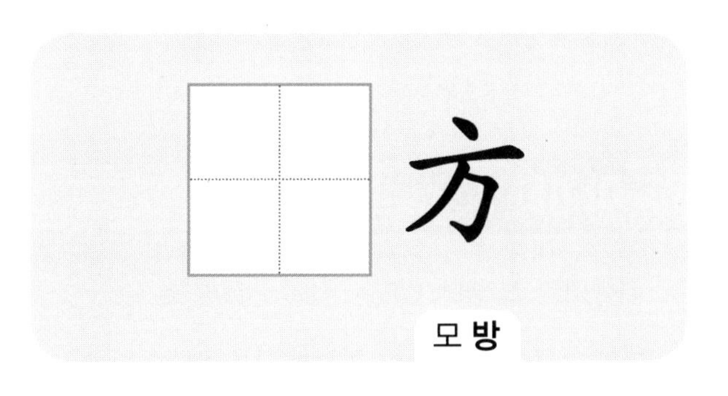


모 **방**

前 앞 전

기초 실력을 키워요

1 집을 기준으로 자동차의 위치를 나타낸 한자를 찾아 색칠하세요.

(   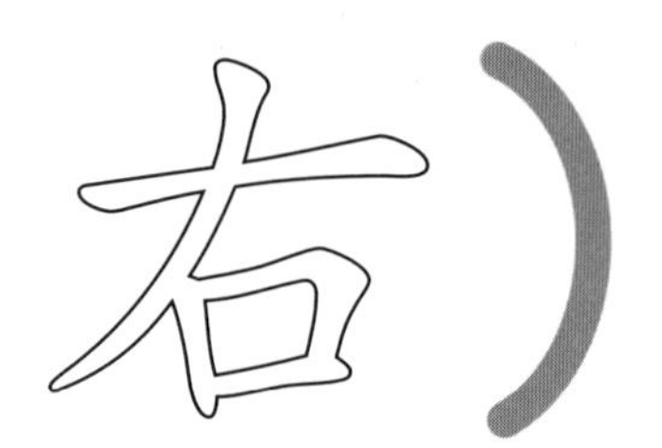 )

前 上 右

아하! 이렇게 푸는구나!

자동차가 집 앞에 있다는 것이 힌트예요.

어휘 확인

## 2 ◌에 알맞은 글자를 넣어 낱말을 만드세요.

밥을 먹기 전

앞쪽

식◌

방

급수 유형

## 3 다음 밑줄 친 한자의 음(소리)을 쓰세요.

식前에 운동을 하면 밥맛이 좋아집니다.

→ (  )

급수 유형

## 4 다음 밑줄 친 한자의 뜻을 보기에서 찾아 그 번호를 쓰세요.

보기

① 뒤  ② 앞  ③ 오른쪽

- 이 일을 하려면 사前 작업을 철저하게 해야 합니다. → (  )

3주

# 後 뒤 후

다음 글을 읽고, 오늘 배울 한자를 확인해 보세요.

이제는 우리 가족이 된 보리.
보리는 아빠를 너무 좋아합니다.
온종일 아빠 뒤[後]만 졸졸 따라다닙니다.
잠잘 때도 아빠 뒤[後]에서 자고, 아빠만 보면
전후(後) 살피지 않고 아빠에게 달려가 안깁니다.
나와 아빠 사이의 최대 방해꾼이지만 그래도 귀여워요.

공부한 날 月 日

## 뒤 후

길을 갈 때 걸음이 더뎌 뒤처짐을 나타내는 글자로, 뒤를 뜻해요.

연하게 쓰인 한자를 따라 써 본 후, 빈칸에 바르게 쓰세요.

| 後 | 後 | 後 | 後 |
|---|---|---|---|
| 뒤 후 | 뒤 후 | 뒤 후 | 뒤 후 |
| | | | |
| 뒤 후 | 뒤 후 | 뒤 후 | 뒤 후 |
| | | | |

3주

2일
위치 한자

# 後 뒤 후

## 한자어를 익혀요

엄마, 저 감기 걸렸나 봐요. 기침이 나고 머리가 아파요.

에구, 어제 보리랑 늦게까지 밖에서 놀더라니.
열은 없네. 우선 식후(食後)에 약 먹고 좀 쉬어 보자.

쉬어 보고 안 되면 점심 전후(前後)에 병원에 가자.
네.

야, 보리! 내가 먼저야.
안 돼!
아빠, 저 업어 주세요. 아파요.
찰싹

하하하! 그래. 우리 딸 업어 줘야지.
아이고. 아빠 오늘 할 일이 많은데, 모두 후일(後日)로 미루고 오늘은 너희랑 놀자.
폴짝

앞에는 보리, 뒤에는 딸. 좋다, 좋아. 하하하!
보리 너 두고 봐!

'後(뒤 후)'가 들어간 한자어를 알아봅시다.

한글로 써 보아요.

한자로 써 보아요.

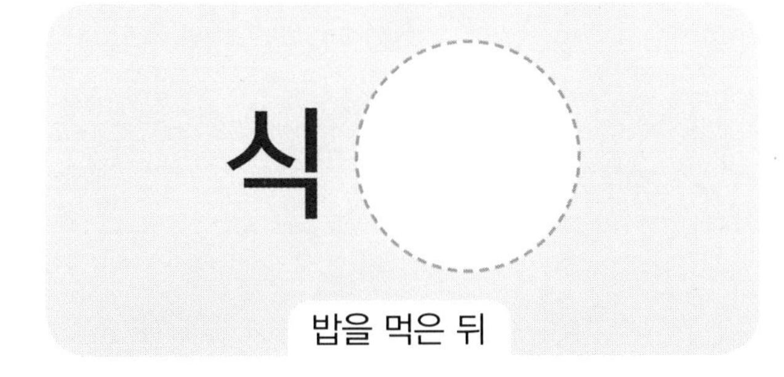


밥을 먹은 뒤

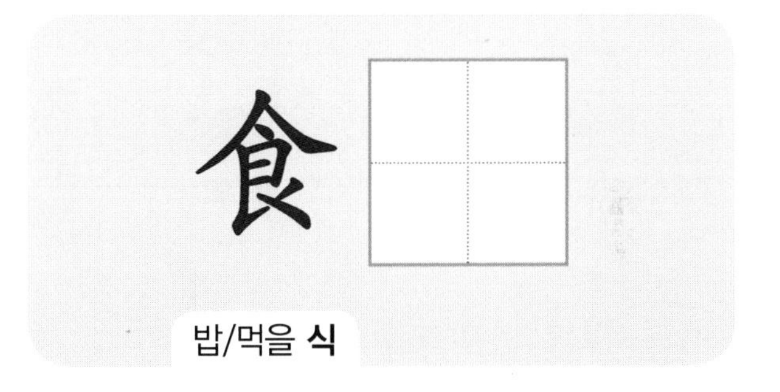


밥/먹을 **식**

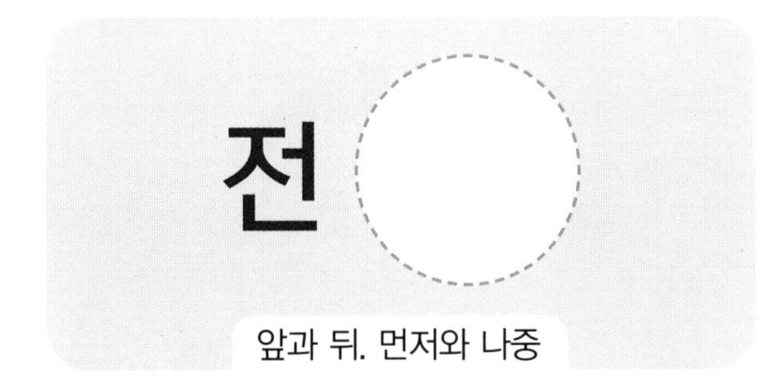


앞과 뒤. 먼저와 나중

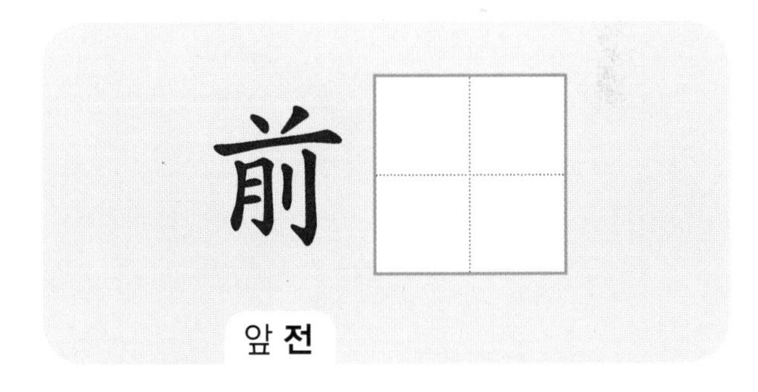


앞 **전**

시간이 지나 뒤에 올 날

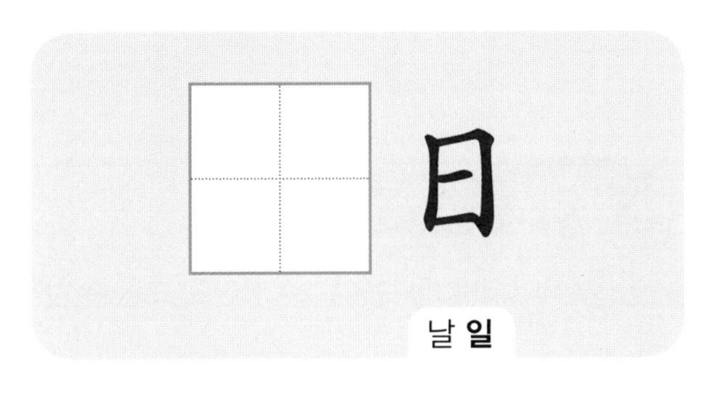


날 **일**

3주

# 後 뒤 후

기초 실력을 키워요

**1** 다음 밑줄 친 한자의 알맞은 뜻과 음(소리)을 보기에서 찾아 그 번호를 쓰세요.

보기

① 앞 전 ② 윗 상 ③ 뒤 후

아하! 이렇게 푸는구나!

동물들의 자리를 잘 보면 알 수 있어요. 그림 속 한자의 음(소리)은 '전'과 '후'입니다.

**2** 그림 속 내용이 맞으면 '예', 틀리면 '아니요'에 ○표 하세요.

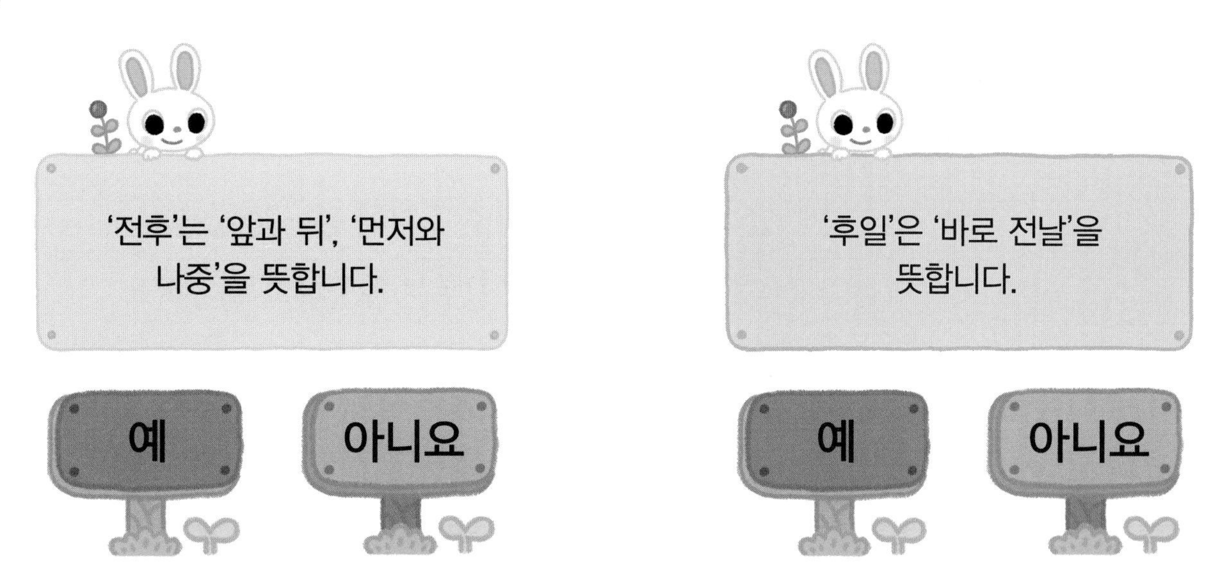

'전후'는 '앞과 뒤', '먼저와 나중'을 뜻합니다.
예
아니요
'후일'은 '바로 전날'을 뜻합니다.
예
아니요

급수 유형

**3** 다음 밑줄 친 한자의 뜻과 음(소리)을 보기에서 찾아 그 번호를 쓰세요.

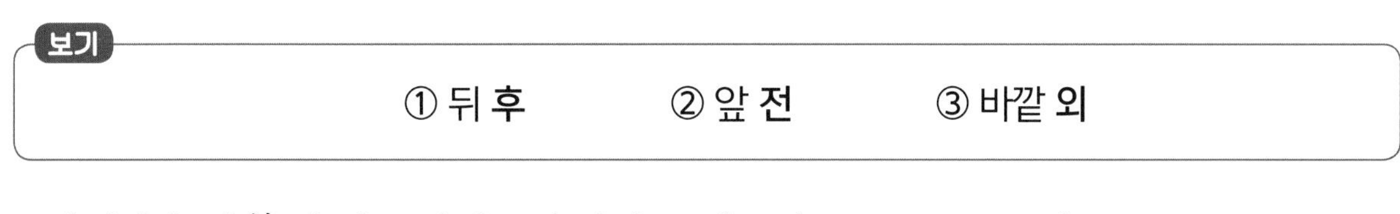


- 감기약은 식<u>後</u>에 먹는 편이 좋습니다. → (　　　　　)

급수 유형

**4** 다음 밑줄 친 낱말에 해당하는 한자어를 보기에서 찾아 그 번호를 쓰세요.

- 이 책은 <u>후일</u> 내가 성공하는 데 큰 힘이 되었습니다. → (　　　　　)

# 內 안 내

다음 글을 읽고, 오늘 배울 한자를 확인해 보세요.

엄마랑 시장에 갔다가 배가 고파서 만둣집에 들어갔어요.
겉으로는 허름하고 작아 보이는데 내(內)부는 깨끗하고 넓었어요.
손님이 많은 걸 보니 맛집인가 봐요.
만두를 먹어 보니 속[內]에 고기가 들어서 정말 맛있었어요.
김치가 들어 있는 만두도 맛있을 것 같아요.

공부한 날 月 日

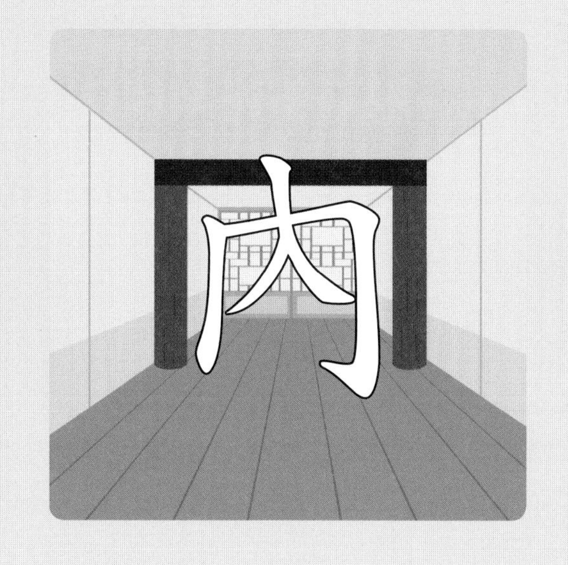

内


## 안 내

지붕 안쪽을 받치고 있는 기둥의 모양을 나타낸 글자로, 안 또는 속을 뜻해요.

QR을 보며 따라 써요!


연하게 쓰인 한자를 따라 써 본 후, 빈칸에 바르게 쓰세요.

内
内
内
内
안 내
안 내
안 내
안 내
안 내
안 내
안 내
안 내


3주

3일
위치 한자

# 内 안 내

## 한자어를 익혀요

아, 배고프다. 노을아, 우리 떡볶이 먹으러 가지 않을래?

좋아. 근데 너 돈 있어? 난 없는데.
둘이 합해서 3000원 내외(内外)면 되지 않을까? 나한테 있어.

그래? 좋아, 가자.
어, 다은아, 어디 가는 거야?
영어 학원. 시내(市内)에 있는 학원이라 버스 타고 가려고. 너희는 어디 가?

우리는 떡볶이 먹으러 가. 넌 학원에 가야 하니까 안 되겠다.
나중에 나랑 같이 가자. 의리 없이 나 빼고 먹으러 가니?

안됐지만, 우리가 너 대신 맛있게 먹고 올게. 메롱!
넌 영어 공부 많이 해라.
버스
너희들 자꾸 약 올리면 가만 안 둔다.

사랑 떡볶이
내부(内部) 수리 중?
내부 수리중
볶이 500 어묵 500
꼬치 500 튀김 500

'内(안 내)'가 들어간 한자어를 알아봅시다.

한글로 써 보아요.

한자로 써 보아요.

안과 밖을 아울러 이르는 말

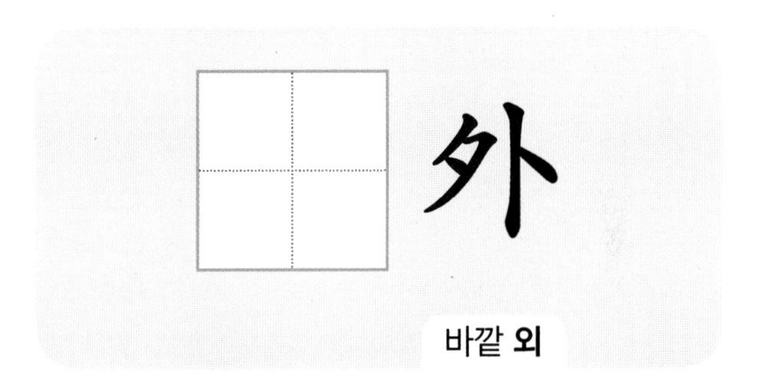


바깥 **외**

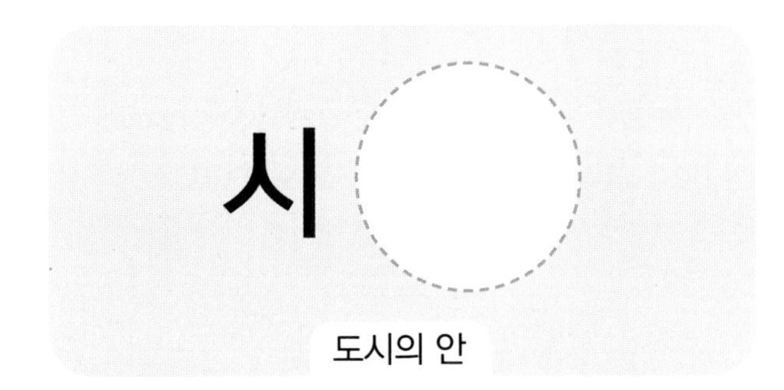


도시의 안

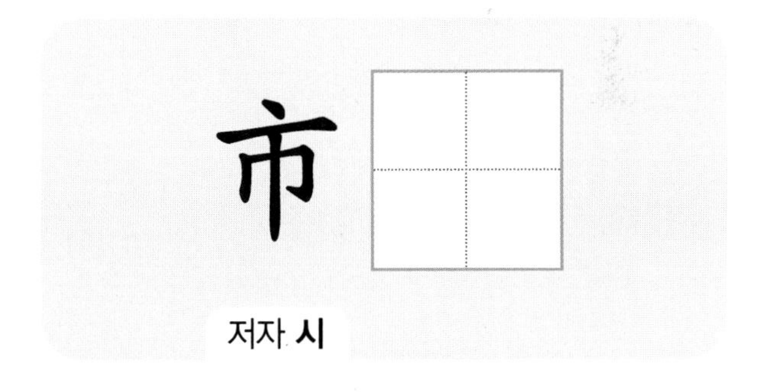


저자 **시**

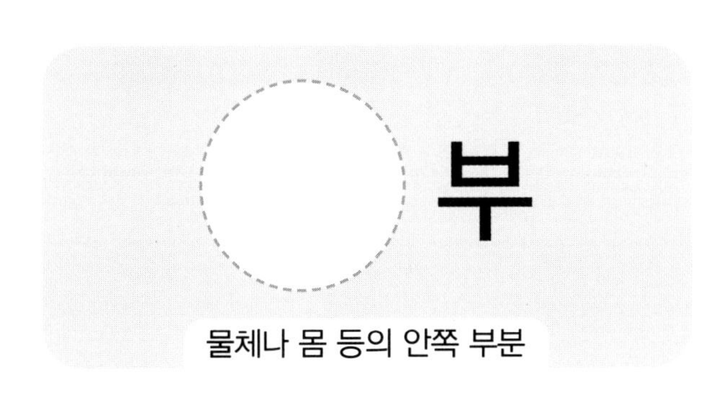


물체나 몸 등의 안쪽 부분

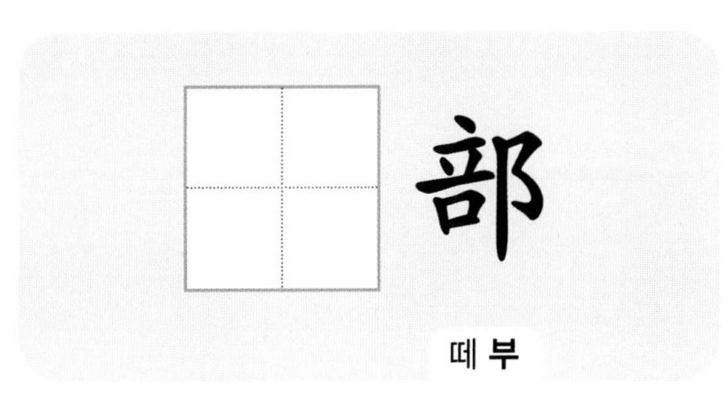


떼 **부**

# 內 안 내

기초 실력을 키워요

**1** 그림에서 '內'의 뜻과 음(소리)이 쓰인 먹이를 먹을 동물에게 ✔표 하세요.

아하! 이렇게 푸는구나!

미로를 잘 따라가 보세요.

## 기초 집중 연습

**2** 다음 뜻에 해당하는 낱말을 찾아 선으로 이으세요.

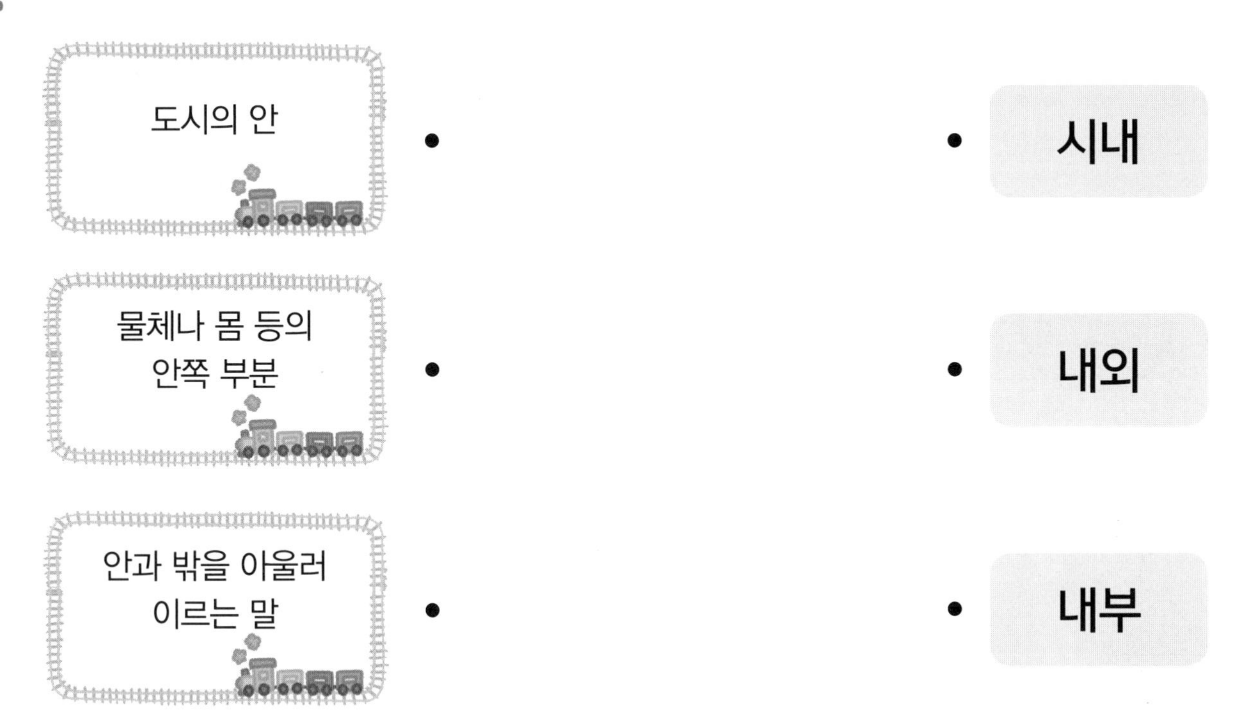
도시의 안
물체나 몸 등의 안쪽 부분
안과 밖을 아울러 이르는 말
시내
내외
내부

3주

**3** 보기 와 같이 다음 한자의 뜻과 음(소리)을 쓰세요.

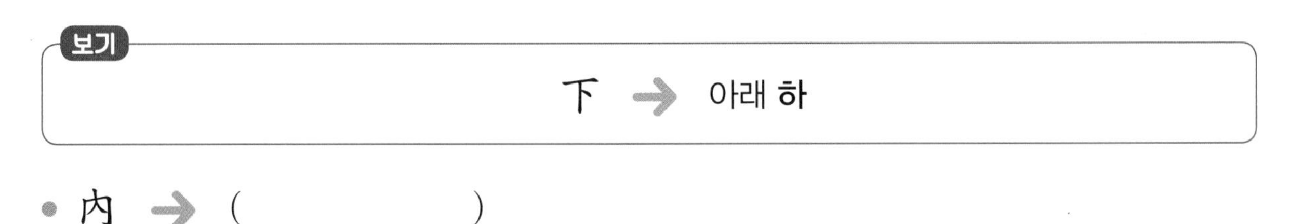
보기
下 → 아래 하

• 內 → (　　　　　)

**4** 다음 밑줄 친 한자의 뜻을 보기 에서 찾아 그 번호를 쓰세요.

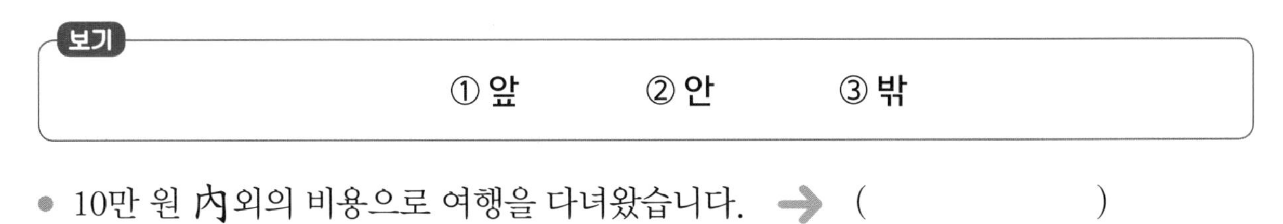
보기
① 앞　② 안　③ 밖

• 10만 원 內외의 비용으로 여행을 다녀왔습니다. → (　　　　　)

4일
위치 한자

# 外 바깥 외

다음 글을 읽고, 오늘 배울 한자를 확인해 보세요.

우리 반이 지켜야 할 규칙
1. 수업 시간에 떠들지 않기
2. 실내화를 신고 밖[外]에 나가지 않기
3. 쉬는 시간에 교실이나 복도에서 뛰지 말고 밖[外]에 나가서 놀기
4. 점심 시간에 외(外)출할 때는 선생님께 허락 맡기
오늘 배울 한자
外
바깥 외

공부한 날 月 日

## 바깥 외

밖으로 나가 밤하늘을 보며 운세를 알아보던 데서 **바깥**이라는 뜻을 나타냈어요.

**연하게 쓰인 한자를 따라 써 본 후, 빈칸에 바르게 쓰세요.**

| 外 | 外 | 外 | 外 |
|---|---|---|---|
| 바깥 외 | 바깥 외 | 바깥 외 | 바깥 외 |
| | | | |
| 바깥 외 | 바깥 외 | 바깥 외 | 바깥 외 |
| | | | |

3주

# 4일 위치 한자

## 外 바깥 외

## 한자어를 익혀요

자, 다들 자리에 앉고, 운동장에 나간 사람도 어서 들어오라고 하세요.
후다닥

벼리, 실내화를 신고 실외(室外)로 나가면 안 돼요. 집에서도 외출(外出)할 때는 신발을 갈아 신잖니?
네.

자, 오늘은 외부(外部)에서 손님이 오시는 날이에요. 여러분은 어떻게 해야 하지요?


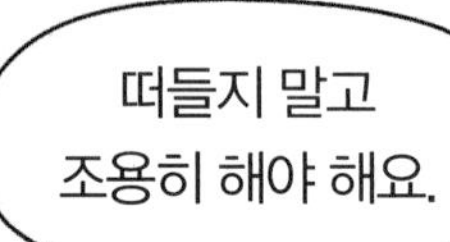

떠들지 말고 조용히 해야 해요.


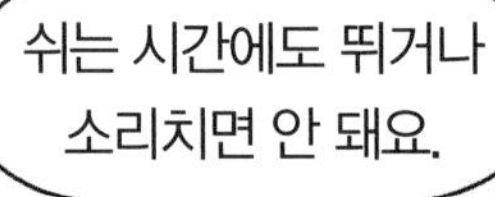

쉬는 시간에도 뛰거나 소리치면 안 돼요.

네, 그리고 또 중요한 게 있는데, 여러분이 매일 선생님을 만나면 무엇을 하죠?
인사를 해요!

맞아요. 그러니까 외부에서 오신 손님께도 예의 바르게 인사해 주세요.
네!
우리는 착한 어린이

'外(바깥 외)'가 들어간 한자어를 알아봅시다.

한글로 써 보아요.

한자로 써 보아요.

방이나 건물 등의 밖

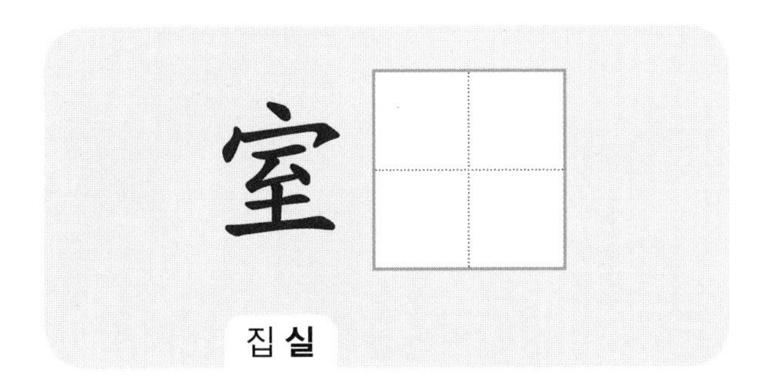

집 **실**

집 등에서 벗어나 잠시 밖으로 나감.

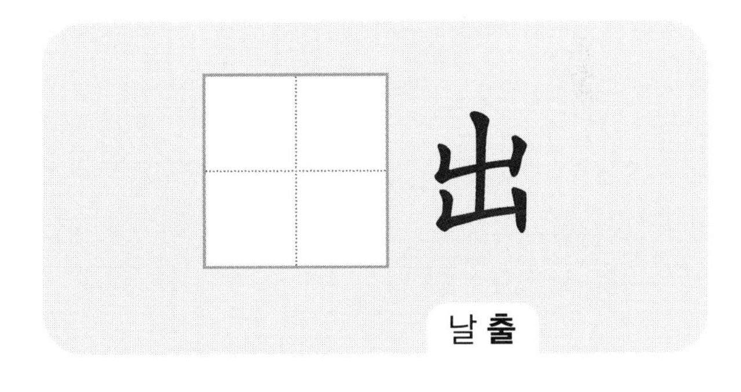

날 **출**

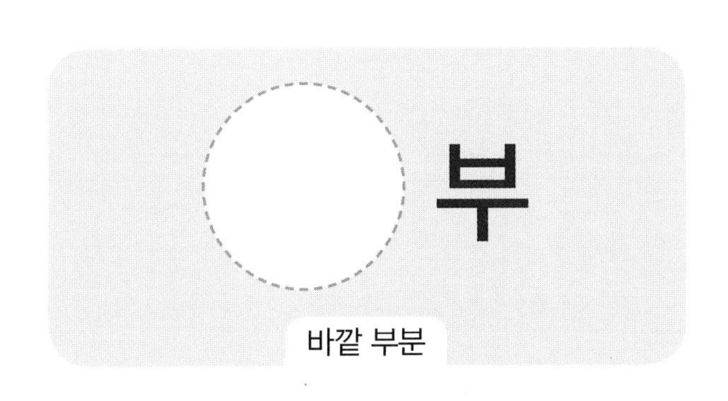

바깥 부분

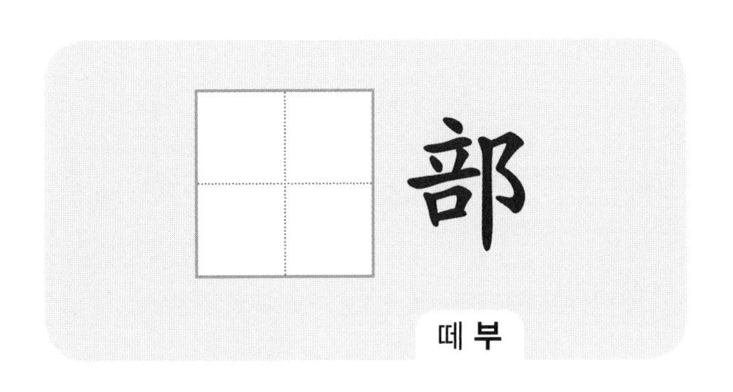

떼 **부**

3주

# 外 바깥 외

**기초 실력을 키워요**

**1** 집의 안과 밖에 있는 동물의 위치를 보고 '内'와 '外'를 구분하여 쓰세요.

닭 ☐ 호랑이 ☐ 판다 ☐ 부엉이 ☐

**아하! 이렇게 푸는구나!**

집의 '안'과 '밖'을 잘 확인해 보세요.

어휘 확인

**2** 다음 낱말에 해당하는 뜻을 찾아 선으로 이으세요.

실외

집 등에서 벗어나 잠시 밖으로 나감.

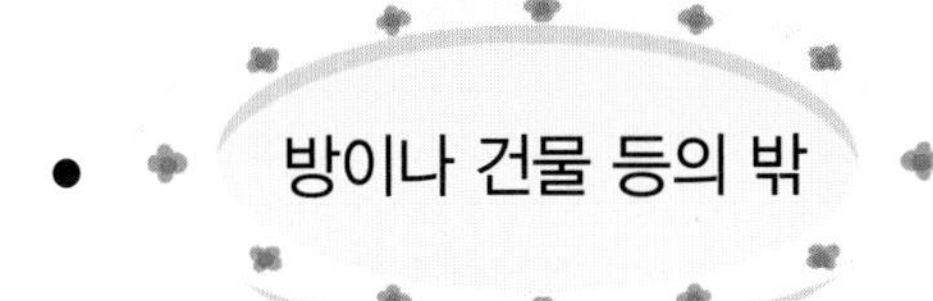


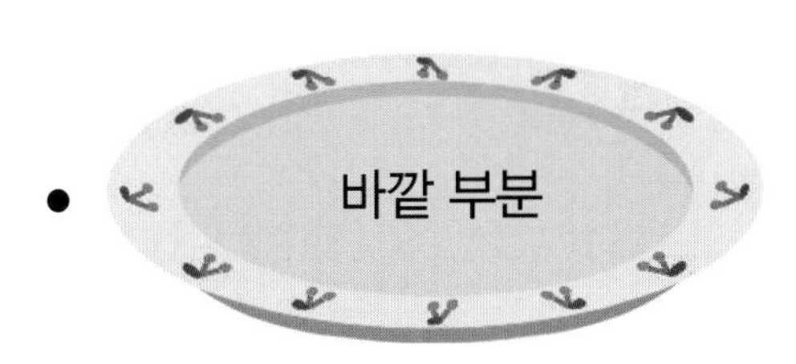


급수 유형

**3** 다음 한자의 뜻을 보기 에서 찾아 그 번호를 쓰세요.

보기

① 앞 ② 안 ③ 바깥

- 外 → (            )

급수 유형

**4** 다음 밑줄 친 한자의 음(소리)을 쓰세요.

오늘은 실내보다 실<u>外</u>가 더 따뜻합니다. → (            )

# 中 가운데 중

다음 글을 읽고, 오늘 배울 한자를 확인해 보세요.

학교 뒤에 있는 낮은 산으로 소풍을 다녀왔습니다.
엄마가 도시락으로 김밥을 싸 주셨는데,
지금까지 먹어본 도시락 가운데[中] 가장 맛있었습니다.
그리고 과일도 넣어 주셔서 친구들과 나누어 먹었습니다.
소풍 중(中)에 보물찾기도 하고 재미있는 게임도 했습니다.

오늘 배울 한자

中

가운데 중

공부한 날 月 日

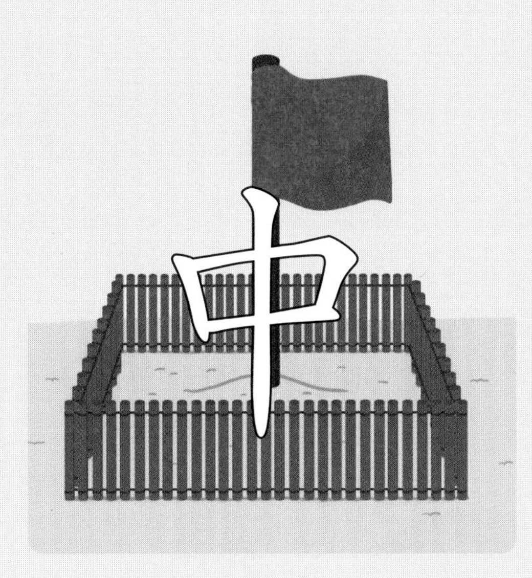


# 가운데 중

군사 진영의 중앙에 꽂혀 있는 깃발의 모습을 본뜬 글자로, **가운데**를 뜻해요.

**연하게 쓰인 한자를 따라 써 본 후, 빈칸에 바르게 쓰세요.**

| 中 | 中 | 中 | 中 |
|---|---|---|---|
| 가운데 중 | 가운데 중 | 가운데 중 | 가운데 중 |
| | | | |
| 가운데 중 | 가운데 중 | 가운데 중 | 가운데 중 |
| | | | |
| | | | |

3주

5일
위치 한자

# 中 가운데 중

## 한자어를 익혀요

여러분, 도시락 맛있게 먹었어요?
지금부터 보물찾기를 할 거예요. 시간은 30분이고, 화장실 가고 싶은 사람은 꼭 선생님에게 말하고 가야 합니다.
항상 선생님이 보이는 곳에 있어야 합니다. 멀리 가면 산중(山中)에서 길을 잃어버릴 수도 있어요. 알았죠?
네!

찾았다! 얘들아, 나 보물 찾았어.
하 하 하
어디?
진짜?

어디 봐, 보물이 뭐야?
한 번 보자!
와, 예쁜 필통이래. 신난다.
자, 시간 끝났습니다. 모두 중앙(中央)으로 모이세요.

이번에는 공을 던져서 나무에 매달린 것을 맞히는 게임입니다. 맞혀서 떨어진 물건은 자기가 갖는 거예요.

좋아, 중심(中心)을 잘 맞추고, 으쌰!
펑
삐끗
으악
하하하 꽝이다!

## 한자어 활용

'中(가운데 중)'이 들어간 한자어를 알아봅시다.

중
한글로 써 보아요.
中
한자로 써 보아요.


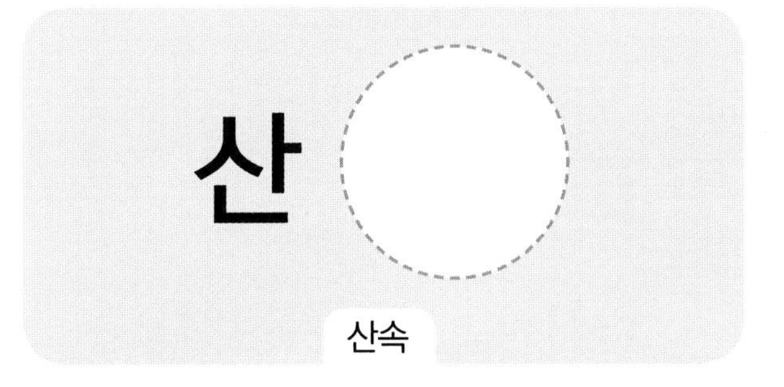

산


산속

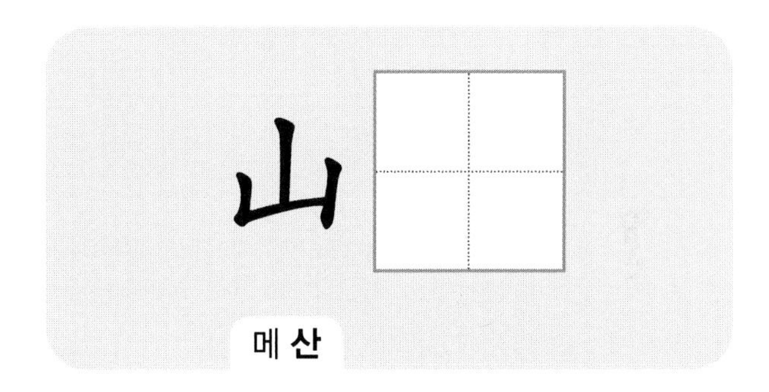

山


메 **산**

앙


사방의 중심이 되는 한가운데

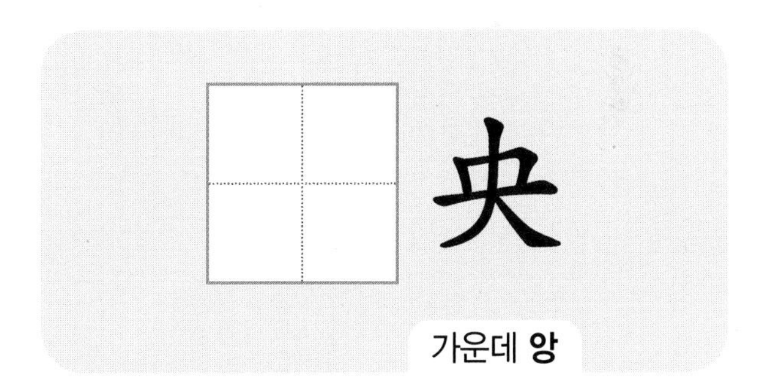

央


가운데 **앙**

심


한가운데. 중요하고 기본이 되는 부분

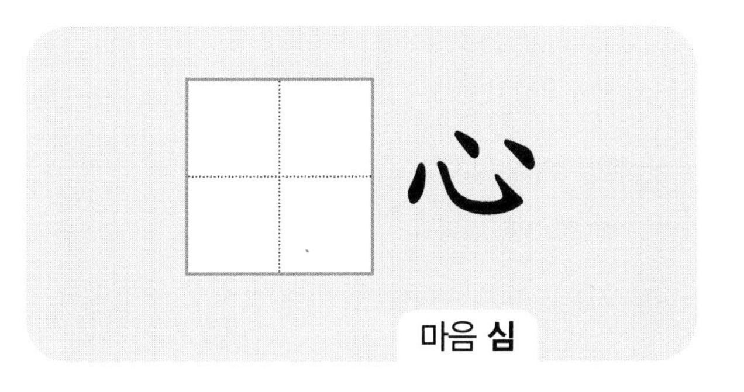

心


마음 **심**

3주

# 中 가운데 중

## 기초 실력을 키워요

**1** 다음 뜻에 해당하는 한자를 순서대로 찾아 출발부터 도착까지 가는 길을 선으로 표시하세요(같은 길은 두 번 지나갈 수 없어요).

| 가운데 – 밖 – 가운데 – 밖(반복) |
| --- |

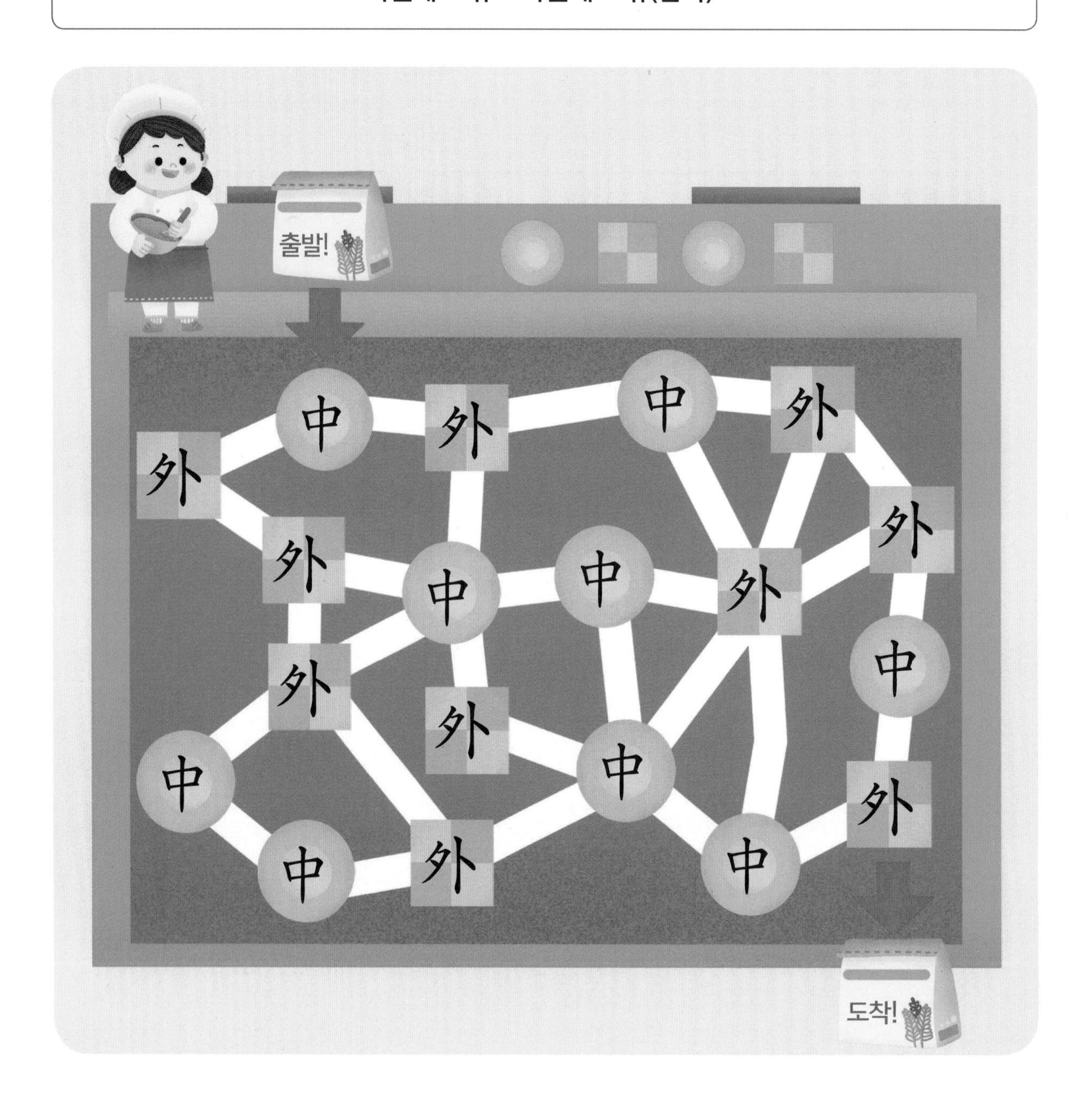


**아하! 이렇게 푸는구나!**

순서를 한자로 나타내면 '中 – 外 – 中 – 外'예요.

## 기초 집중 연습

**2** 다음 그림이 나타내는 한자어를 찾아 선으로 이으세요.

• 中心

• 山中

급수 유형

**3** 다음 밑줄 친 뜻에 해당하는 한자어를 보기에서 찾아 그 번호를 쓰세요.

보기

① 中心 ② 山中 ③ 中央

• 깊은 산속에서 길을 잃었습니다. → (　　　　　)

**4** 다음 밑줄 친 한자의 음(소리)을 보기에서 찾아 그 번호를 쓰세요.

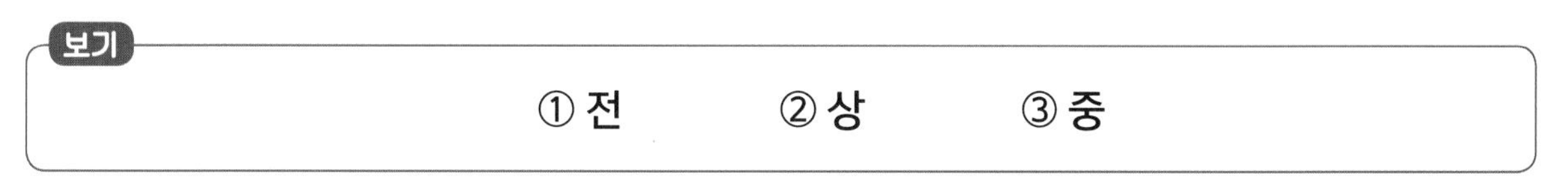
보기

① 전 ② 상 ③ 중

• 이순신 장군의 동상이 광화문 광장의 中앙에 서 있습니다. → (　　　　　)

3주

# 누구나 100점 TEST

**1** 다음 한자의 알맞은 뜻과 음(소리)을 보기 에서 찾아 그 번호를 쓰세요.

보기
① 가운데 중 ② 앞 전 ③ 뒤 후

**2** 다음 한자의 뜻과 음(소리)으로 알맞은 것을 찾아 선으로 이으세요.

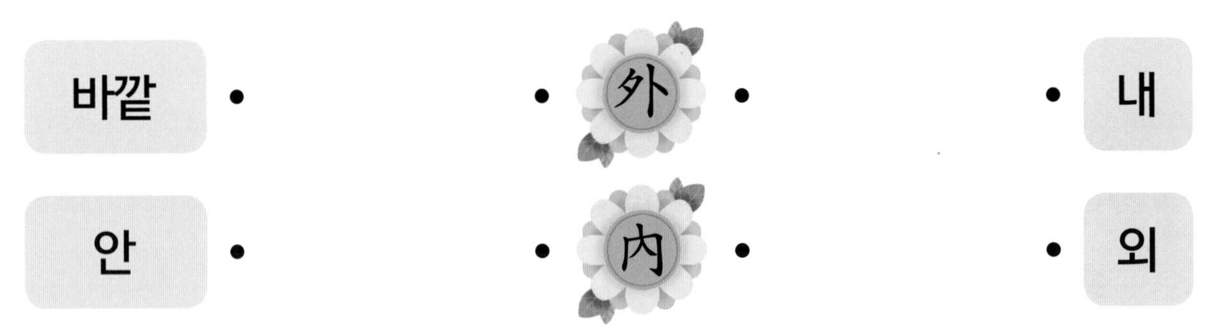


**3** 다음 밑줄 친 한자어의 음(소리)을 보기 에서 찾아 그 번호를 쓰세요.

보기
① 중심 ② 산중 ③ 중간

- 교육 제도가 학생 <u>中心</u>의 교육으로 바뀌었습니다. → ( )

**4** 다음 □ 안에 들어갈 한자에 ○표 하세요.

콘서트가 시작되기 30분 □에 만나기로 했습니다.

前 / 外

**5** 낱말판에서 설명에 해당하는 낱말을 찾아 ○표 하세요.

설명
집 등에서 벗어나 잠시 밖으로 나감.

**6** 다음 밑줄 친 한자의 음(소리)을 쓰세요.

內부 수리 공사 때문에 잠시 쉬겠습니다.

→ (                    )

**7** 그림이 나타내는 한자어를 찾아 선으로 이으세요.

밥을 먹기 전

• 食前

• 食後

**8** 다음 밑줄 친 낱말에 해당하는 한자어를 보기에서 찾아 그 번호를 쓰세요.

보기
① 室內 ② 室外 ③ 外部

• 날씨가 따뜻해서 실외에서 활동하는 사람이 많습니다. → (                    )

# 3주 특강 생각을 키워요 ①

창의·융합·코딩

국어+한문 다음 만화를 읽고, 성어의 뜻을 생각해 보세요.

前 無 後 無

앞 **전** 없을 **무** 뒤 **후** 없을 **무**

3주

◆ 성어의 뜻을 살펴보며 빈칸에 알맞은 한자를 채우세요.

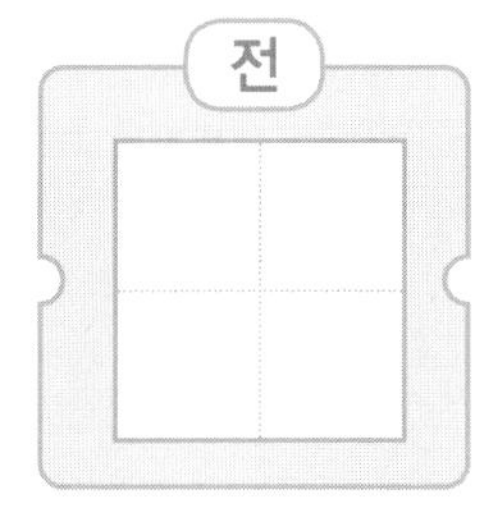

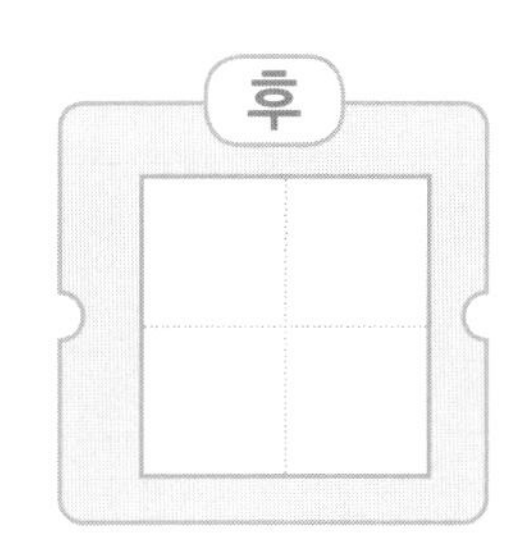

→ '이전에도 없었고 앞으로도 없다.'라는 뜻으로, 앞으로도 경험하기 힘든 대단히 놀라운 일을 나타내는 말

창의·융합·코딩
3주
특강
생각을 키워요 ②

코딩+한문 힌트 속 한자의 뜻이 가리키는 방향으로 움직여 도착 지점에 ○표 하세요.

예시

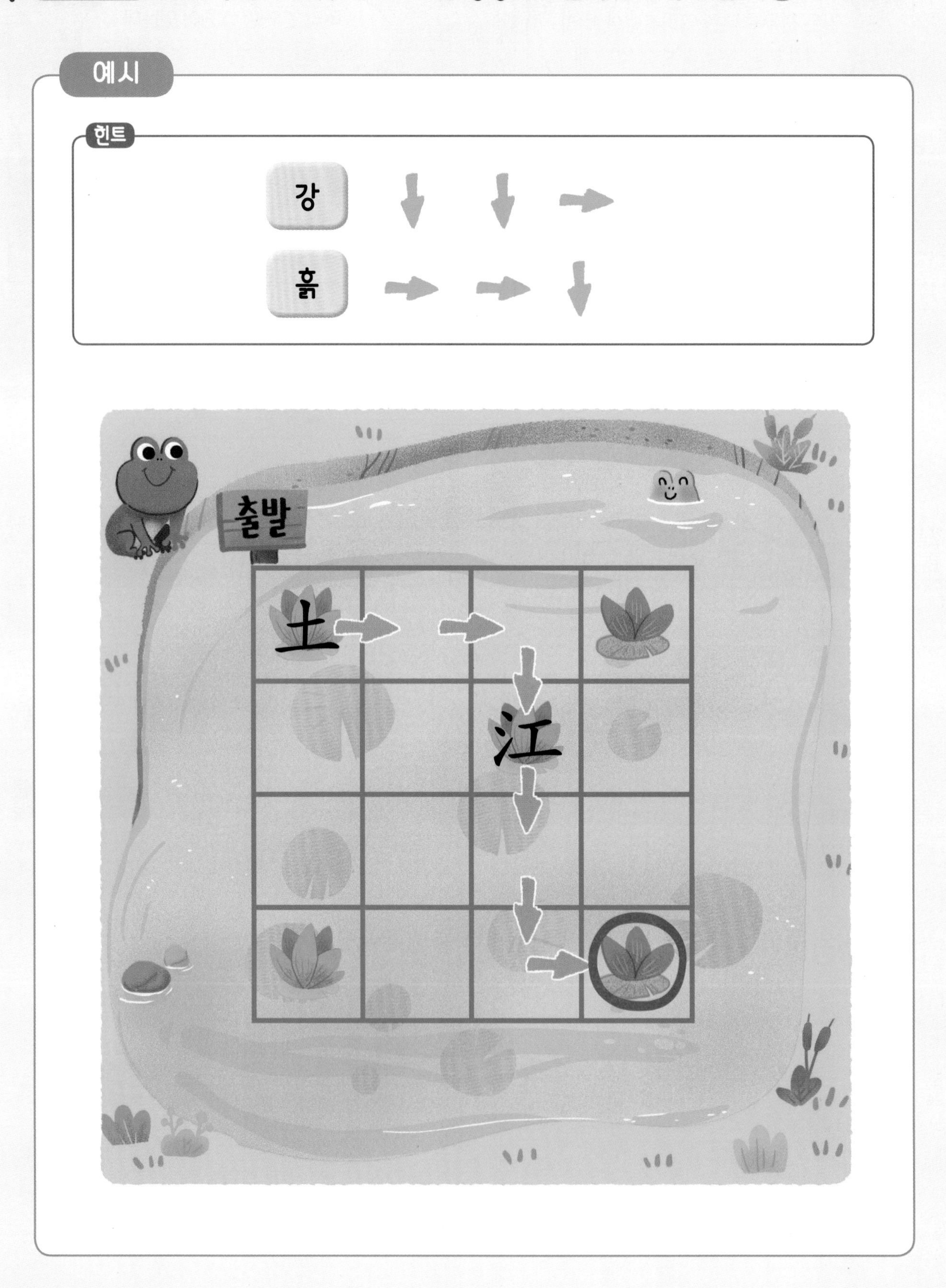
힌트
강 ↓ ↓ →
흙 → → ↓
출발
土
江

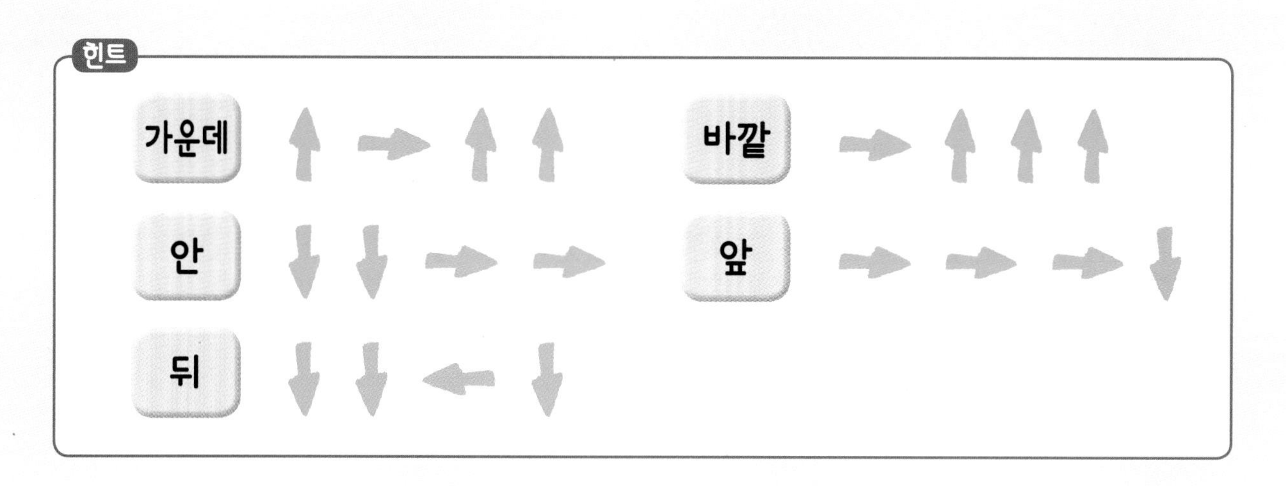
힌트
가운데 ↑ → ↑ ↑
바깥 → ↑ ↑ ↑
안 ↓ ↓ → →
앞 → → → ↓
뒤 ↓ ↓ ← ↓

출발
前
後
中
內
外

창의·융합·코딩

# 생각을 키워요 ③

**안전+한문** 안전 수칙을 알아보고, 밑줄 친 뜻이나 음(소리)에 해당하는 한자를 **보기** 에서 찾아 쓰세요.

**보기**

左　　右　　前　　後　　内　　外　　中

**예시**

차 안에서는 안전띠를 매요.

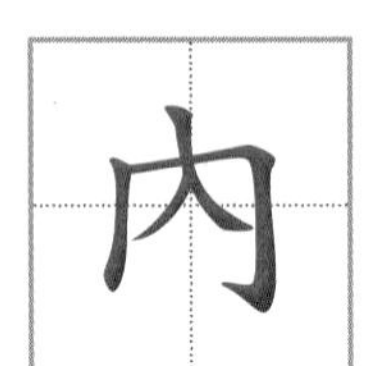

**1** 차를 타기 전에는 줄을 서요.

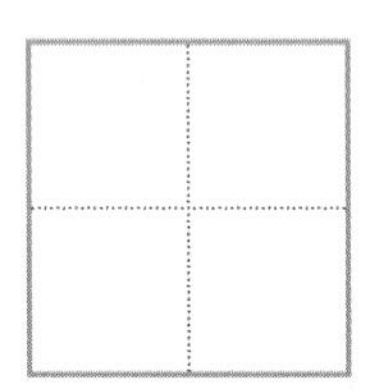

**2** 달리는 중인 차 밖으로 손을 내밀지 않아요.

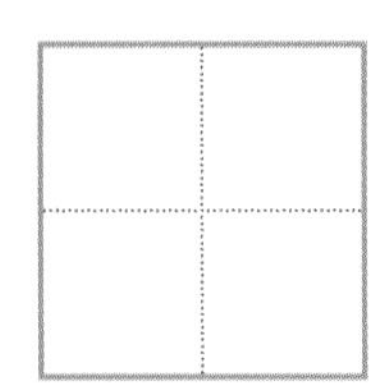

◐ 정답 16쪽

**3** 길을 걷는 중에는 휴대 전화를 보지 않아요.

**4** 차에서 내리기 전에는 꼭 좌우를 살펴요.

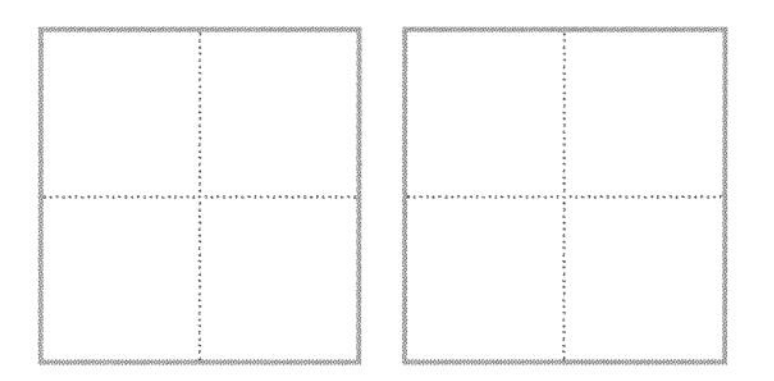

**5** 멈춰 있는 차 뒤에서 놀지 않아요.

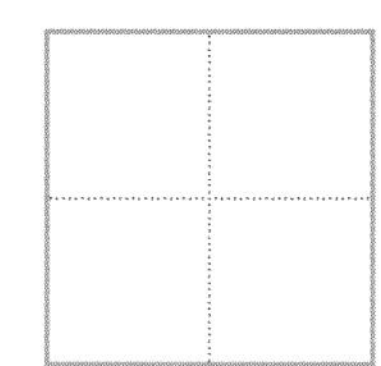

이 밖에도

- 차를 타기 전에는 주변을 살피고 타요.
- 횡단보도를 건널 때는 손을 높이 들고 건너요.
- 횡단보도에서 뛰지 않아요.

3주

# 4주에는 무엇을 공부할까? ①

이번 주에는 어떤 한자를 공부할까?

1일 時 때 시
2일 空 빌 공
3일 間 사이 간
4일 午 낮 오
5일 每 매양 매

한자를 색칠해 봐!
時

인형극 [공기 요정의 여행] 안내
●날짜 : 매일
●시간 : 1부 – 1시
2부 – 3시
3부 – 5시
●장소 : ○○극장
와! 한글로 바뀌었다!

몇 부 공연을 보면 좋을까? 팬돌아, 우리 계획표 좀 확인해 줘.
오후 5시에는 피아노 학원에 가야 해.

지금은 3시 10분 전이니까, 그럼 2부 공연을 보면 되겠다.
인형극장
그래!


4주

# 4주에는 무엇을 공부할까? ②

이번 주에 배울 한자들이 그림 속에 숨어 있어요. 보기를 참고해서 한자를 찾아보세요.

보기

時 때 시　空 빌 공　間 사이 간　午 낮 오　每 매양 매

정답 17쪽

4주

# 時 때 시

다음 글을 읽고, 오늘 배울 한자를 확인해 보세요.

우리 엄마는 공부하라는 말씀은 별로 하지 않으세요.
그렇지만 다음 세 가지를 지키지 않으면 혼이 납니다.
첫째, 놀 때[時]는 놀더라도 할 일은 하면서 놀 것
둘째, 시(時)간 약속은 꼭 지킬 것
셋째, 절대 거짓말은 하지 말 것

공부한 날 月 日

12 11 1 10 2 9 3 8 4 7 5 6

時

# 때 시

태양이 일정한 규칙에 따라 돌아간다는 뜻을 나타내는 글자로, **때**를 뜻해요.

**연하게 쓰인 한자를 따라 써 본 후, 빈칸에 바르게 쓰세요.**

| 時 | 時 | 時 | 時 |
|---|---|---|---|
| 때 시 | 때 시 | 때 시 | 때 시 |
| | | | |
| 때 시 | 때 시 | 때 시 | 때 시 |
| | | | |

4주

1일
시간 한자

# 時 때 시

## 한자어를 익혀요

아침 8시에
일어나서
아침 먹고
쉬다가
10시쯤
축구하기
점심 먹고
친구들과 놀기
5시에 들어와 씻고
저녁 식사 후 텔레비전 보기
10시에 숙제하기

아이고, 이렇게 하려면
시간(時間)이 모자라겠다. 방학이니까 시일(時日)을
갖고 부족한 공부도 하고, 다음 학기 준비도
하면 어떨까?

뭔가 다른
계획은 없어?
별로 없는데……
놀 때 놀더라도 할
일은 하고 놀아야지.

엄마도
그러셨어요?
그럼.

놀기와 공부를
동시(同時)에 하는
방법은 없을까요?
뭐라고!
아이고,
아들아!

'時(때 시)'가 들어간 한자어를 알아봅시다.

한글로 써 보아요.

한자로 써 보아요.

어떤 시각에서 어떤 시각까지의 사이

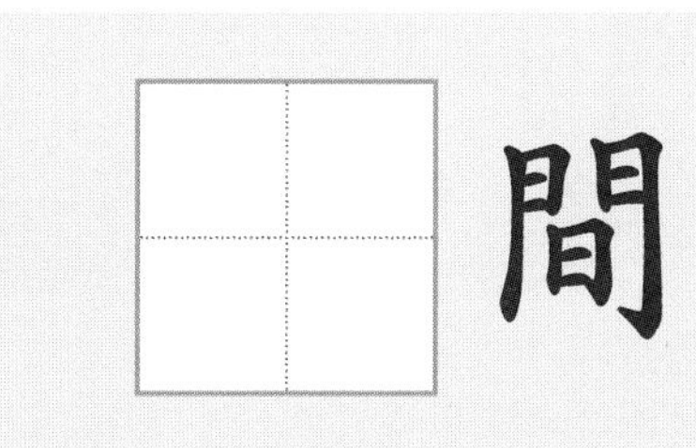


사이 **간**

때와 날을 아울러 이르는 말

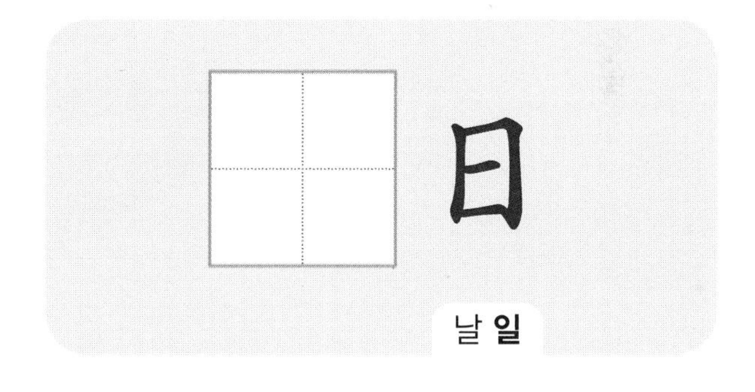


날 **일**

같은 때. 같은 시기

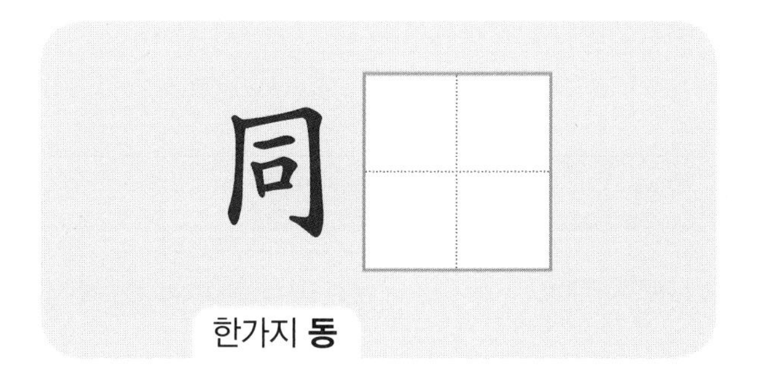


한가지 **동**

4주

# 時 때 시

## 기초 실력을 키워요

**1** 시계 속 한자의 알맞은 뜻과 음(소리)을 찾아 ✔표 하세요.

뒤 후 ☐ 안 내 ☐ 때 시 ☐

**아하! 이렇게 푸는구나!**

'時'는 태양이 일정한 규칙에 따라 돌아간다는 뜻을 나타내는 글자예요.

**2** 낱말에 대한 설명이 옳은 것에 ✓표 하세요.

'시일'은 '때와 날을 아울러 이르는 말'이라는 뜻입니다.

'시간'은 '같은 때', '같은 시기'를 뜻합니다.

급수 유형

**3** 다음 밑줄 친 뜻에 해당하는 한자를 보기에서 찾아 그 번호를 쓰세요.

보기

① 時 ② 外 ③ 中

- 놀 때는 놀고 공부할 때는 공부해야 합니다. → (    )

**4** 다음 밑줄 친 한자의 음(소리)을 보기에서 찾아 그 번호를 쓰세요.

보기

① 일 ② 중 ③ 시

- 나는 時간이 날 때마다 책을 읽습니다. → (    )

# 空 빌 공

다음 글을 읽고, 오늘 배울 한자를 확인해 보세요.

오늘은 날씨가 참 맑습니다.
구름 한 점 없이 빈[空] 하늘을 보니 문득 하늘을
날고 싶은 생각이 듭니다. 무지개를 타고 날까?
아니면 동화 속 주인공처럼 양탄자를 타고 날까?
공(空)중을 날아다니는 기분은 어떨까요?

공부한 날 月 日

## 빌 공

도구를 이용하여 구덩이를 파는 것을 나타낸 글자로, **비다**를 뜻해요.

**연하게 쓰인 한자를 따라 써 본 후, 빈칸에 바르게 쓰세요.**

| 空 | 空 | 空 | 空 |
|---|---|---|---|
| 빌 공 | 빌 공 | 빌 공 | 빌 공 |
| | | | |
| 빌 공 | 빌 공 | 빌 공 | 빌 공 |
| | | | |

4주

2일
시간 한자

# 空 빌 공

## 한자어를 익혀요

와, 비행기다!

구름 사이로 지나가네.
비행기 타고 어디를 가는 걸까?

커서 공군(空軍)이 되면 비행기를 많이 타겠지?
나도 하늘을 날아 멀리 가 보고 싶다.

양탄자를 타고 공중(空中)을 날아보고 싶다.
야, 그건 동화잖아. 바로 떨어질걸? 날고 싶으면 비행기를 타야지.

근데 비행기는 공기(空氣)를 느낄 수가 없잖아.
그럼 낙하산을 타면 되겠다.

으……. 그건 무서워!
절레 절레

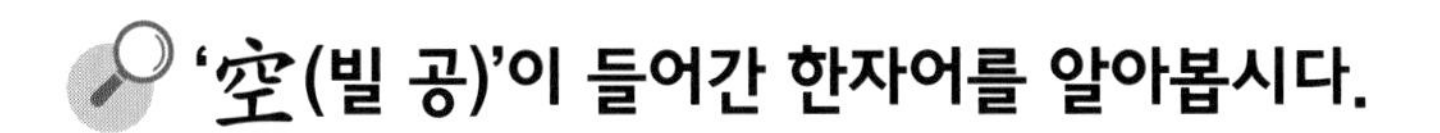

'空(빌 공)'이 들어간 한자어를 알아봅시다.

한글로 써 보아요.

한자로 써 보아요.

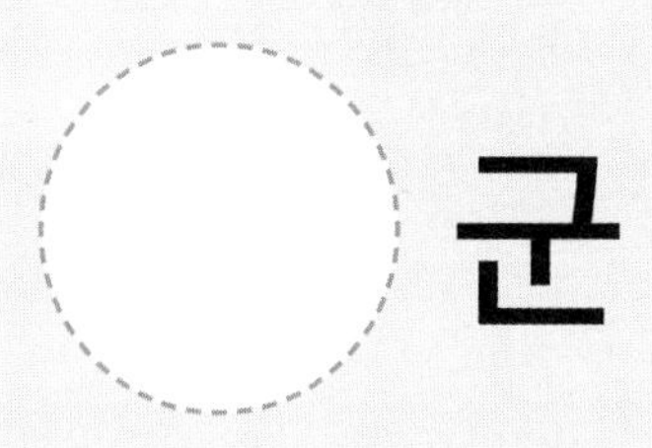


주로 공중에서 공격과 방어의 임무를 수행하는 군대

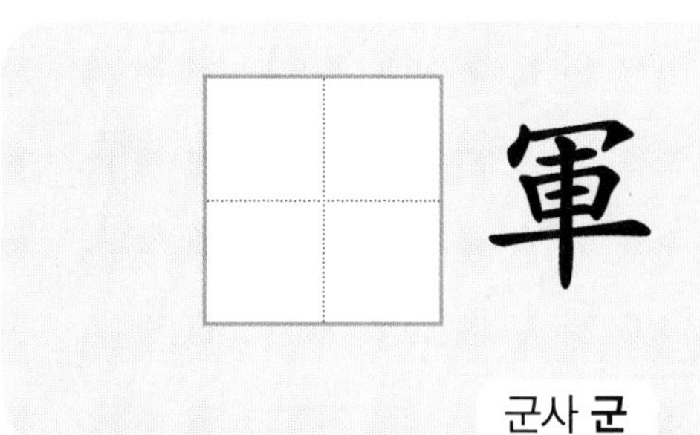


군사 **군**

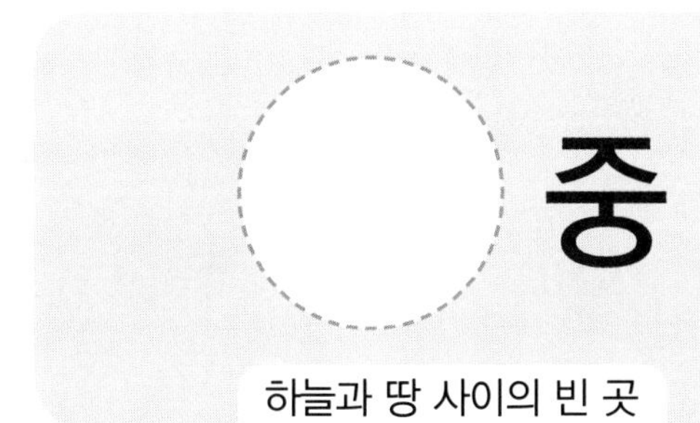


하늘과 땅 사이의 빈 곳

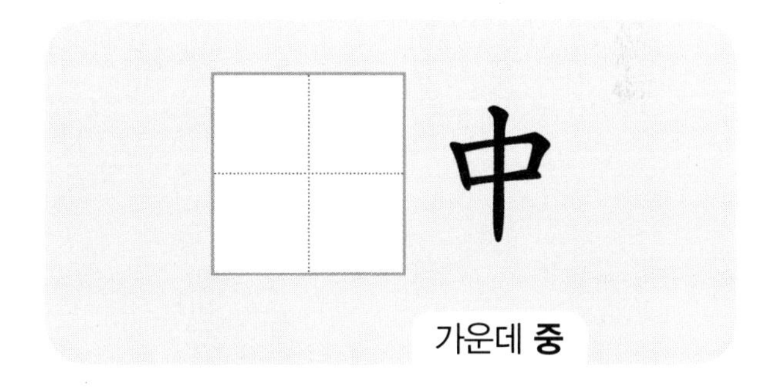


가운데 **중**

지구 표면을 둘러싸고 있는 무색, 무취의 투명한 기체

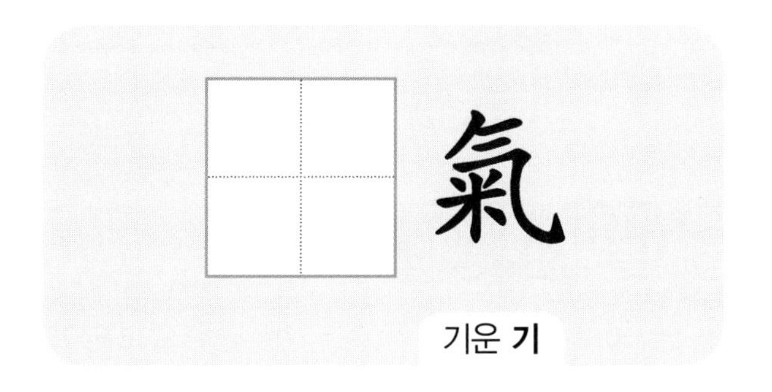


기운 **기**

# 空 빌 공

## 기초 실력을 키워요

1 그림 속 한자의 알맞은 뜻과 음(소리)을 찾아 ○표 하세요.

아하! 이렇게 푸는구나!

남자아이와 여자아이가 날고 있는 곳을 잘 보세요.

**2** 다음 뜻에 해당하는 낱말을 찾아 선으로 이으세요.

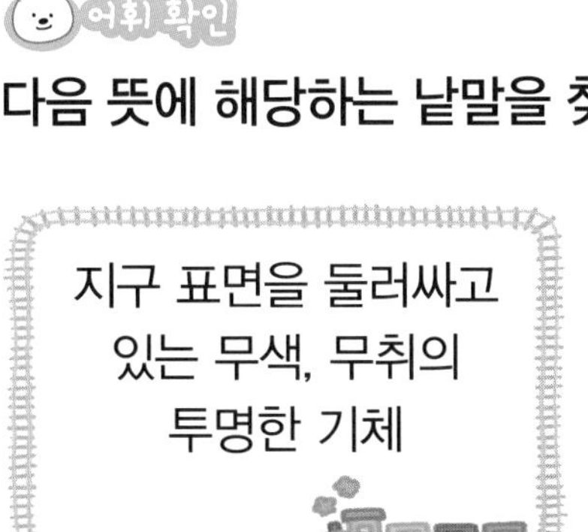

지구 표면을 둘러싸고 있는 무색, 무취의 투명한 기체 •　　　• 공기

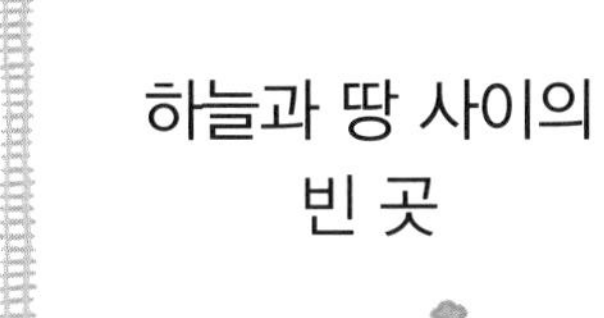

하늘과 땅 사이의 빈 곳 •　　　• 공군

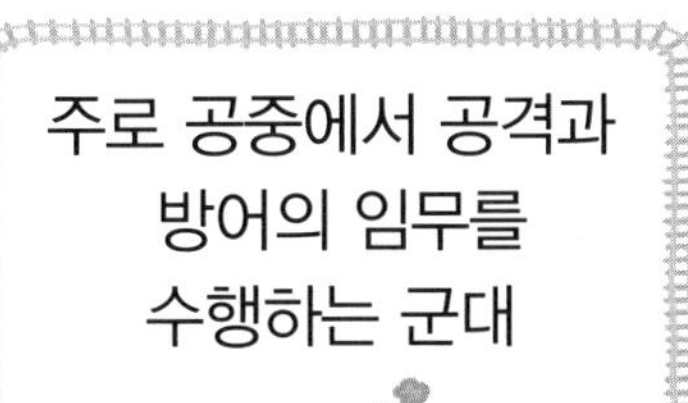

주로 공중에서 공격과 방어의 임무를 수행하는 군대 •　　　• 공중

**3** 다음 밑줄 친 한자어의 음(소리)을 쓰세요.

드론을 옥상에서 空中으로 날렸습니다. → (　　　　　　)

**4** 다음 밑줄 친 한자의 뜻을 보기에서 찾아 그 번호를 쓰세요.

보기

① 비다　　② 바깥　　③ 때

• 나는 하늘을 나는 空군이 되고 싶습니다. → (　　　　　　)

# 間 사이 간

다음 글을 읽고, 오늘 배울 한자를 확인해 보세요.

우리 집 마당의 커다란 나무와 나무 사이[間]에는
가족들이 쉴 수 있는 공간(間)이 있습니다.
아버지께서 가족들을 위해 직접 만들어 주셨습니다.
날씨가 좋은 날에는 이곳에서 맛있는 음식도 먹고
이야기도 하며 행복한 시간(間)을 보냅니다.

공부한 날 月 日

## 사이 간

[ 문틈으로 햇빛이 들어오는 모습을 나타낸 글자로, 사이를 뜻해요. ]

연하게 쓰인 한자를 따라 써 본 후, 빈칸에 바르게 쓰세요.

| 間 | 間 | 間 | 間 |
| --- | --- | --- | --- |
| 사이 간 | 사이 간 | 사이 간 | 사이 간 |
| | | | |
| 사이 간 | 사이 간 | 사이 간 | 사이 간 |
| | | | |
| | | | |

4주

# 間 사이 간

## 한자어를 익혀요

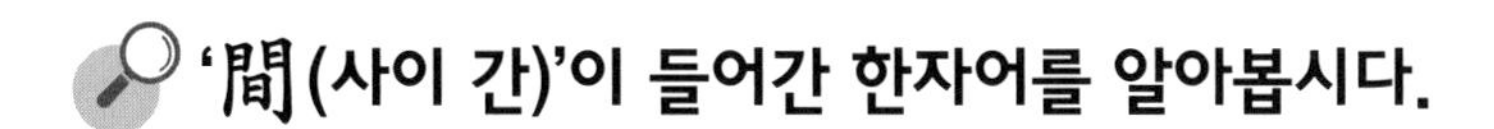

'間(사이 간)'이 들어간 한자어를 알아봅시다.

한글로 써 보아요.

한자로 써 보아요.

아무것도 없는 빈 곳

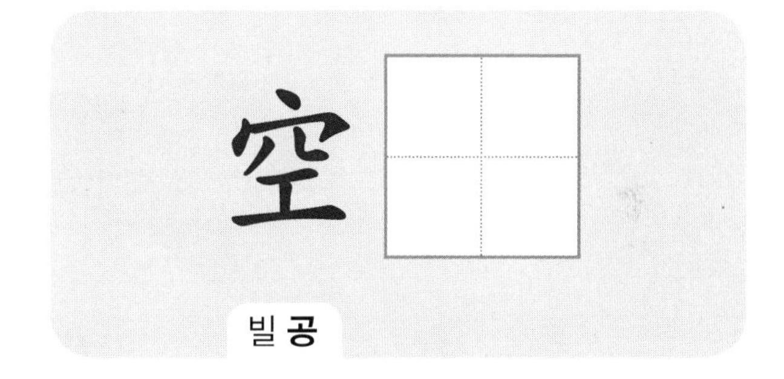


빌 **공**

두 사물의 사이. 공간이나 시간 등의 가운데

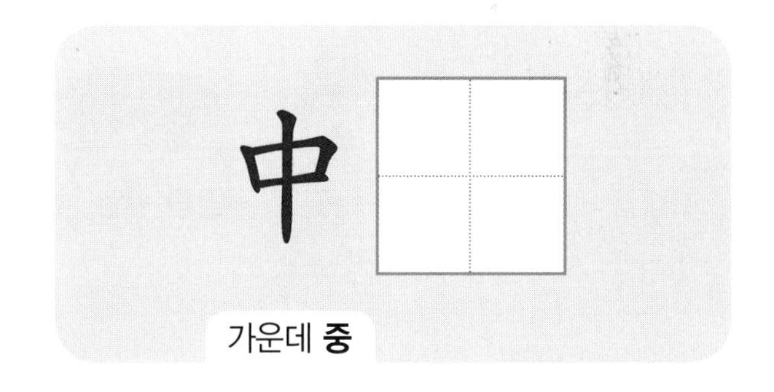


가운데 **중**

끼니와 끼니 사이에 먹는 음식

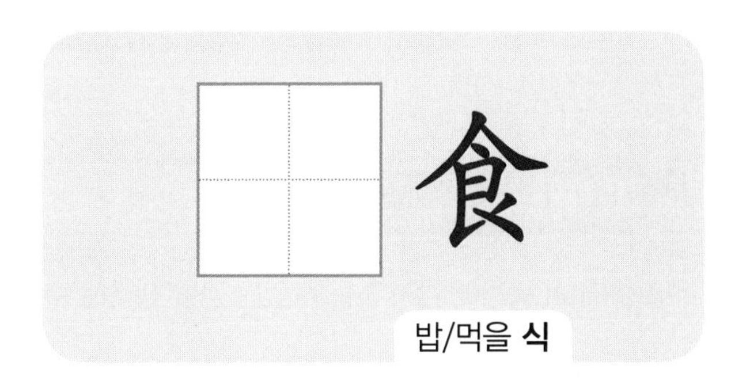


밥/먹을 **식**

4주

# 間 사이 간

## 기초 실력을 키워요

**1** 그림 속 한자의 알맞은 뜻과 음(소리)을 보기 에서 찾아 그 번호를 쓰세요.

보기

① 빌 공 ② 때 시 ③ 사이 간

**아하! 이렇게 푸는구나!**

가운데 빈 공간에 한자가 들어 있는 것을 생각해 보세요.

## 2 다음 뜻에 해당하는 한자어를 찾아 선으로 이으세요.

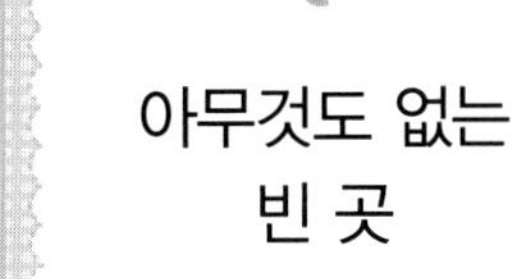

| 뜻 | | 한자어 |
|---|---|---|
| 아무것도 없는 빈 곳 | •     • | 中間 |
| 두 사물의 사이 | •     • | 間食 |
| 끼니와 끼니 사이에 먹는 음식 | •     • | 空間 |

급수 유형

## 3 보기 와 같이 다음 한자의 뜻과 음(소리)을 쓰세요.

보기: 時 → 때 시

• 間 → (　　　　　　)

급수 유형

## 4 다음 밑줄 친 한자어의 음(소리)을 쓰세요.

오후 3시에는 항상 <u>間食</u>을 먹습니다. → (　　　　　　)

4 주

4일
시간 한자

# 午 낮 오

다음 글을 읽고, 오늘 배울 한자를 확인해 보세요.

[방학 동안의 나와의 약속]
1. 아침 7시에 일어나고, 밤 10시 전에 자기
2. 오(午)전에는 공부나 숙제를 하고, 오(午)후에 놀기
3. 게임은 1시간만 하고, 운동 열심히 하기
4. 편식하지 않고 무엇이든지 잘 먹기
5. 씻기도 잘하는 건강한 어린이 되기
오늘 배울 한자
午
낮 오

午

## 낮 오

막대기를 꽂아 나타난 그림자를 보고 시간을 알았다는 것을 표현한 글자로, **낮**을 뜻해요.

QR을 보며 따라 써요!

**연하게 쓰인 한자를 따라 써 본 후, 빈칸에 바르게 쓰세요.**

午
午
午
午
낮 오
낮 오
낮 오
낮 오
낮 오
낮 오
낮 오
낮 오

4일
시간 한자

# 午 낮 오

## 한자어를 익혀요

이거 봐,
내 방학 계획표야.
어디 보자.
오전(午前)에 숙제하고,

12시 정오(正午)에 점심 먹고,
낮잠 자고, 일어나 간식 먹고…….
빈틈없이 노는구나.

오후(午後)에는 독서가 있네.
무슨 책 읽을 건데? 만화책?
숙제나 공부 시간은 없는 거야?

너희는 어떻게 짰는데?
어디 보여 줘 봐.
난 계획표 대신 이렇게
나와의 약속을 만들었어.

오전에 공부하고
오후에 놀기, 와~.
진짜야?
이거 네가
생각한 게 아닌 거
같은데.
씨익

뭐, 엄마가 이번
방학에는 착한 어린이가
되어 보라고 하셔서.
아~, 엄마한테 늘
듣던 꾸중을 쓴 거구나.
어째 며칠 만에
끝날 것 같은데…….

'午(낮 오)'가 들어간 한자어를 알아봅시다.

오
한글로 써 보아요.
午
한자로 써 보아요.


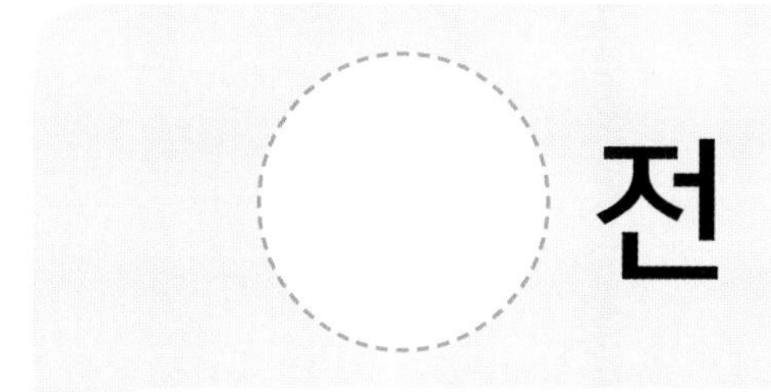

전
해가 뜰 때부터 낮 열두 시까지의 시간


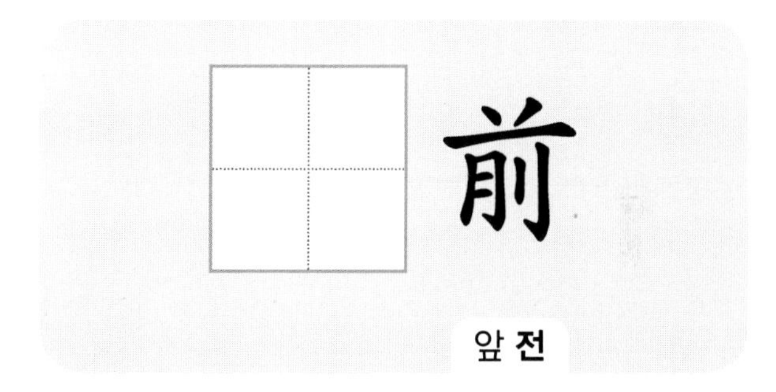

前
앞 전


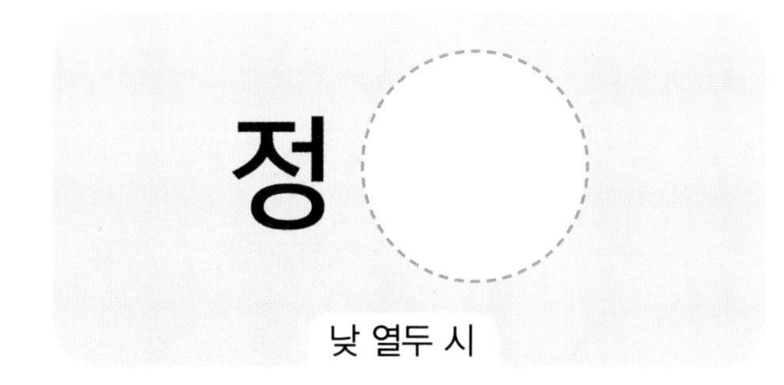

정
낮 열두 시


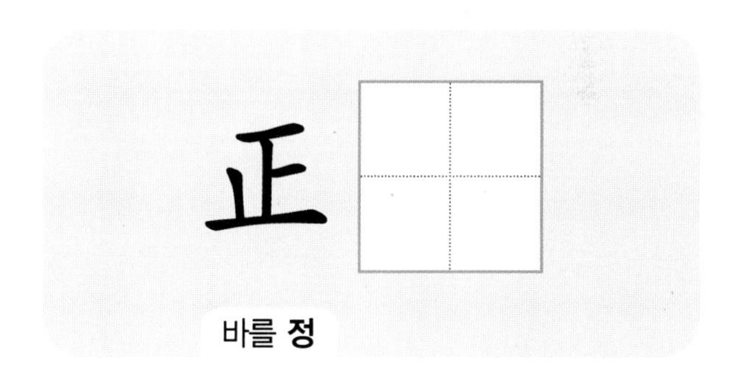

正
바를 정


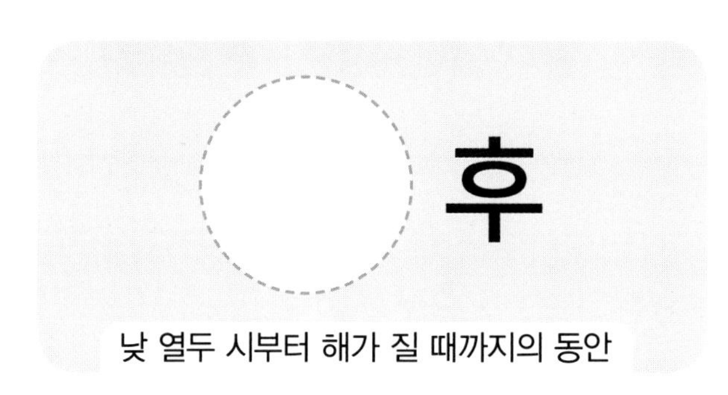

후
낮 열두 시부터 해가 질 때까지의 동안


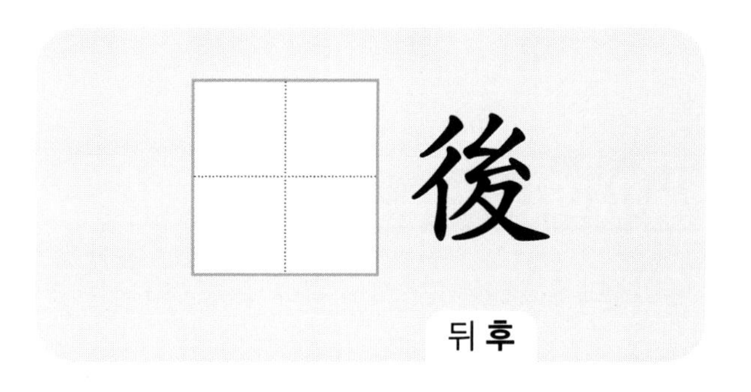

後
뒤 후

午 낮 오

기초 실력을 키워요

1 그림 속 한자의 알맞은 뜻과 음(소리)을 보기에서 찾아 그 번호를 쓰세요.

보기
① 빌 공 ② 사이 간 ③ 낮 오

아하! 이렇게 푸는구나!

아침에 일어나는 모습과 공중에 구름이 떠 있는 그림을 잘 보세요.

**2** ( )에 알맞은 글자를 넣어 낱말을 만드세요.

해가 뜰 때부터
낮 열두 시까지의 시간

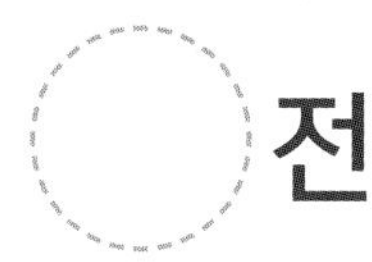 전

낮 열두 시부터
해가 질 때까지의 동안

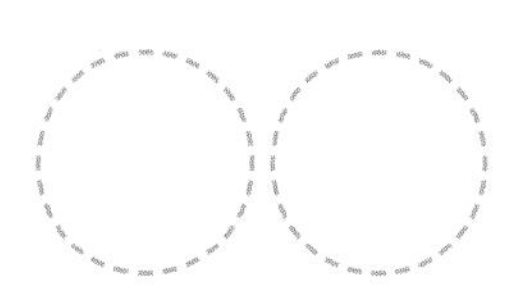

급수 유형

**3** 보기 와 같이 다음 한자의 뜻과 음(소리)을 쓰세요.

보기

間 → 사이 간

- 午 → (                    )

급수 유형

**4** 다음 밑줄 친 한자의 음(소리)을 보기 에서 찾아 그 번호를 쓰세요.

보기

① 전　　② 후　　③ 오

- 12시가 되면 정<u>午</u>의 뉴스가 시작됩니다. → (                    )

5일
시간 한자

# 每 매양 매

다음 글을 읽고, 오늘 배울 한자를 확인해 보세요.

친구들과 노느라 깜박 잊고 숙제를 못해서, 선생님께 야단맞았습니다.
선생님은 제가 언제나[每] 인사를 잘하는 착한 어린이지만, 학교생활을
잘하려면 매(每)사에 좀 더 노력해야 한다고 말씀하셨습니다.
인사도 잘하고 숙제도 잘하는 어린이가 되고 싶습니다.
오늘 배울 한자
每
매양 매

공부한 날 月 日

## 매양 매

아이를 사랑하는 어머니의 마음이 한결같다는 것을 나타낸 글자로, 매양, 마다를 뜻해요.

**연하게 쓰인 한자를 따라 써 본 후, 빈칸에 바르게 쓰세요.**

| 每 | 每 | 每 | 每 |
|---|---|---|---|
| 매양 매 | 매양 매 | 매양 매 | 매양 매 |
| | | | |
| 매양 매 | 매양 매 | 매양 매 | 매양 매 |
| | | | |

4주

5일
시간 한자

# 每 매양 매

## 한자어를 익혀요

자, 숙제 검사를 하겠습니다.
책상에 펴 놓으세요.
네!

아차, 또
잊어버렸다.
어떡하지?
왜? 또 잊어버렸구나.
매일(每日) 놀기만 하니까
그렇지.

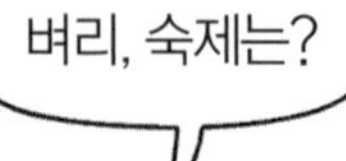
벼리, 숙제는?

또 안 해 왔대요.

벼리가 말해 봐. 이런 일이
자주 있는 이유가 뭘까? 매월(每月)
벼리가 칭찬 도장 수가 제일 적어.
축구하느라 깜박 잊었어요.
다시는 안 그러겠습니다.

벼리는 밝고 인사도 잘하는
착한 어린이니까, 공부를 포함해서
매사(每事)에 조금만 더 노력하면 훨씬
훌륭한 학생이 될 수 있어.

축구할 때는
하더라도 할 일은 하고
놀아야지. 알겠니?
응?
엄마랑 똑같은
말씀을 하시네.
선생님, 혹시 우리
엄마 만나셨어요?
뭐?
주빗

'每(매양 매)'가 들어간 한자어를 알아봅시다.

매

한글로 써 보아요.

每

한자로 써 보아요.

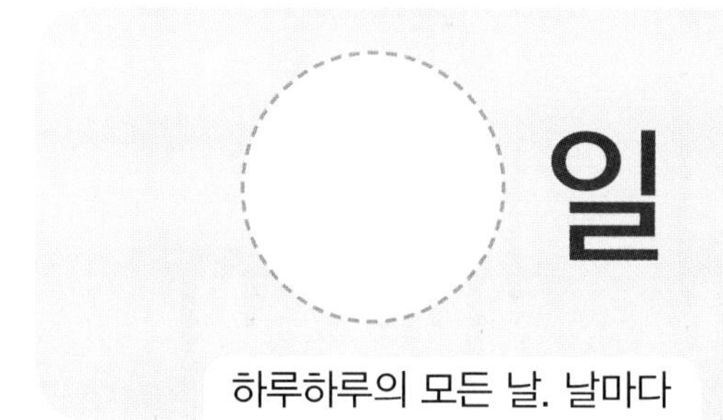
일
하루하루의 모든 날. 날마다

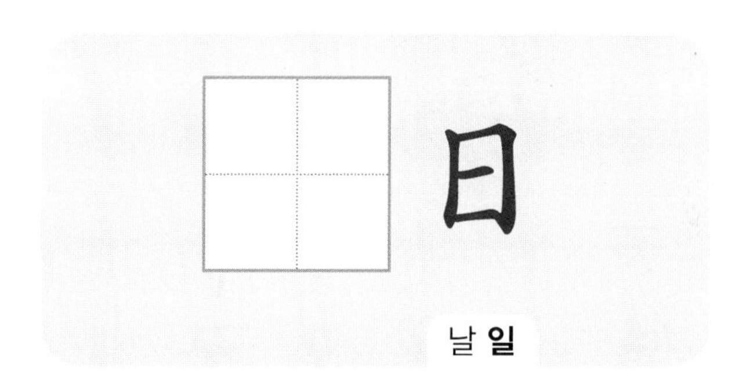
日
날 일

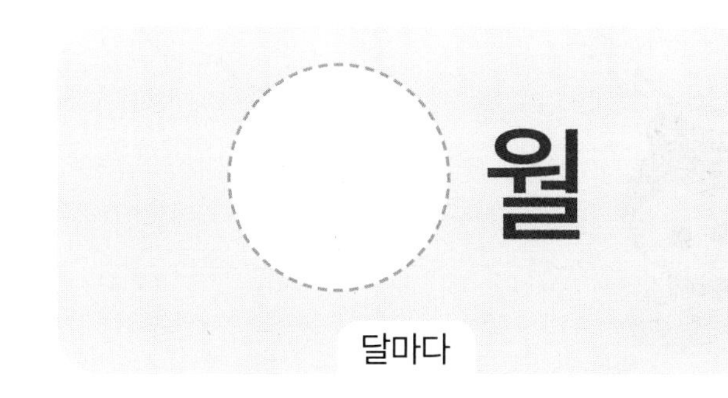
월
달마다

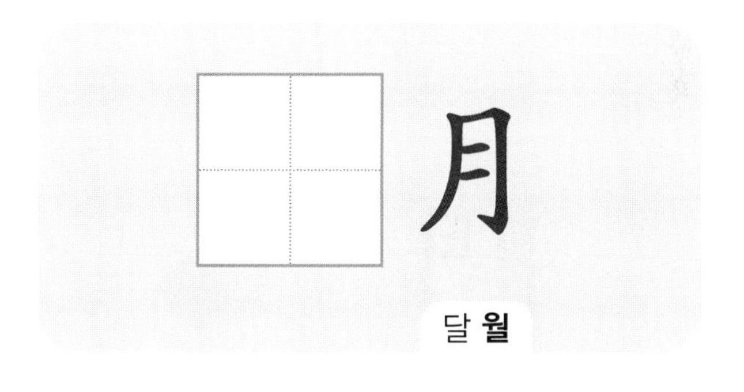
月
달 월

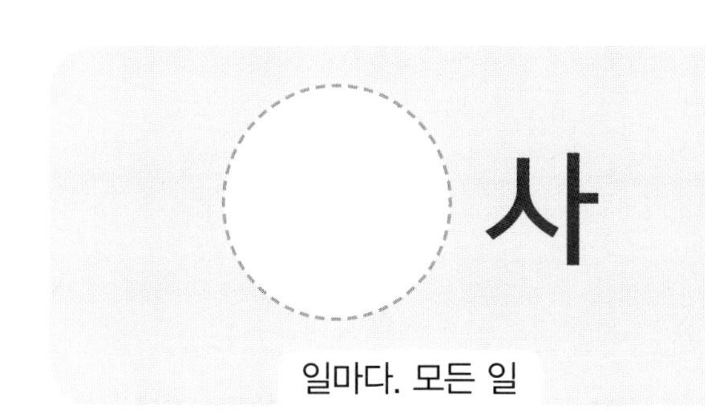
사
일마다. 모든 일

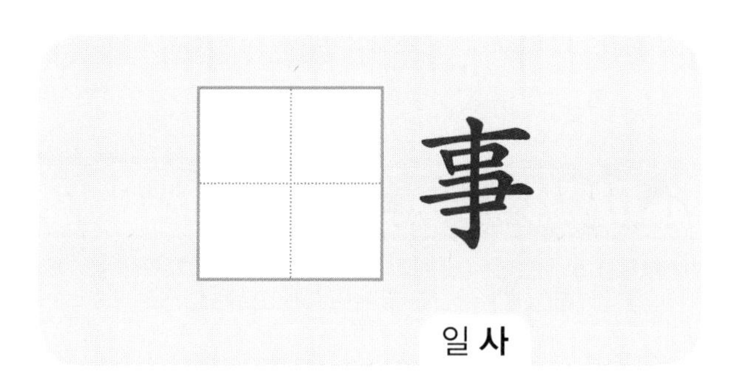
事
일 사

每 매양 매

기초 실력을 키워요

1 다음 한자의 뜻과 음(소리)을 바르게 말한 친구를 찾아 말풍선을 색칠하세요.

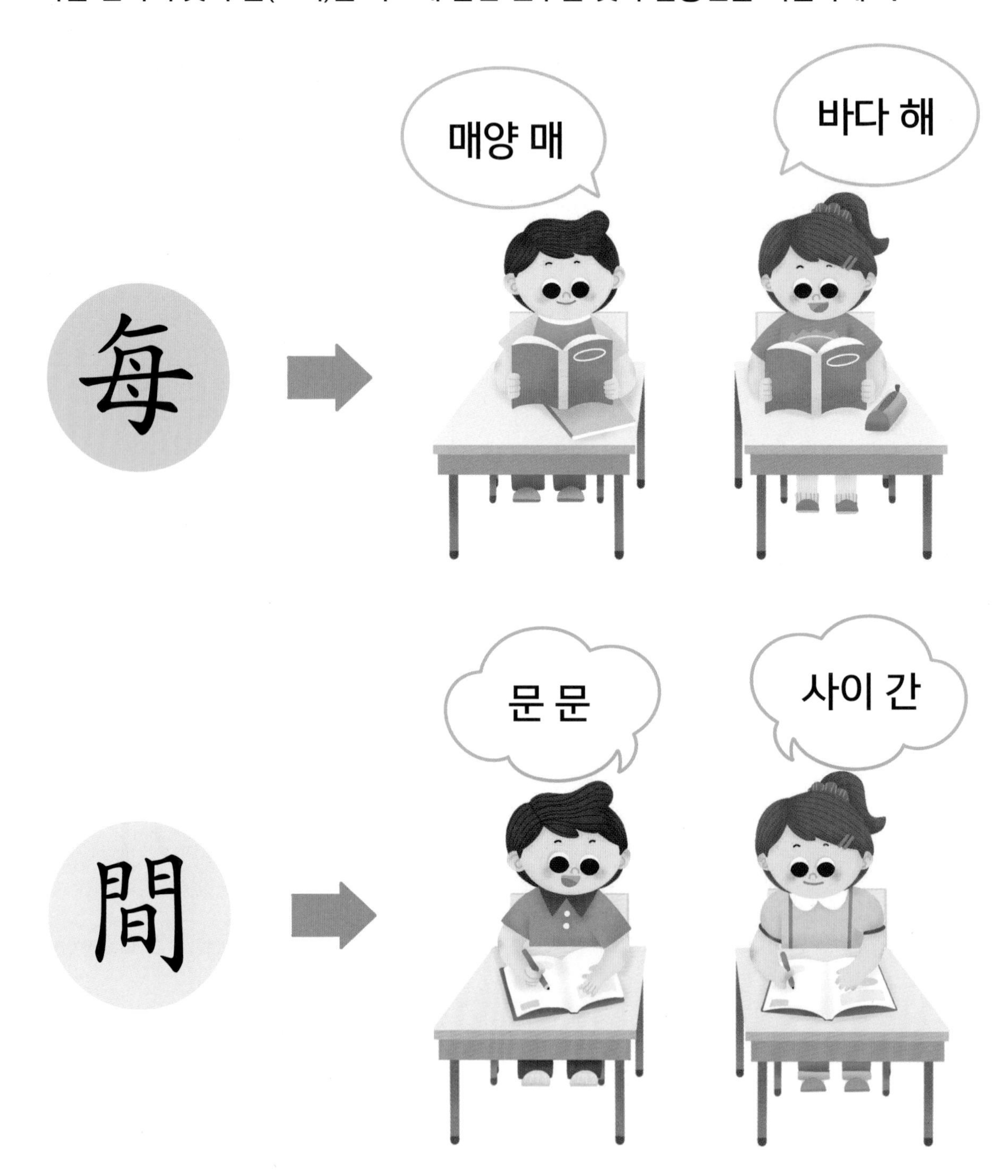


아하! 이렇게 푸는구나!

'海'와 '每', '門'과 '間'을 구별해 보세요.

어휘 확인

## 2 그림 속 내용이 맞으면 '예', 틀리면 '아니요'에 ○표 하세요.

'매사'는 '일마다',
'모든 일'을
뜻합니다.
예
아니요
'매월'은
'해마다'를
뜻합니다.
예
아니요

급수 유형

## 3 다음 밑줄 친 한자어의 음(소리)을 쓰세요.

아버지는 <u>每日</u> 아침 등산을 하십니다. → (　　　　　　)

급수 유형

## 4 다음 밑줄 친 말에 해당하는 한자를 보기 에서 찾아 그 번호를 쓰세요.

보기

① 午　　② 時　　③ 每

- 그녀는 말을 잘해서 <u>매양</u> 우리를 대표해서 발표합니다. → (　　　　　　)

# 4주 누구나 100점 TEST

**1** 낱말판에서 설명 에 해당하는 낱말을 찾아 ○표 하세요.

설명
같은 때. 같은 시기

**2** 다음 밑줄 친 낱말에 해당하는 한자어를 보기 에서 찾아 그 번호를 쓰세요.

• 커다란 열기구가 공중에 떠다닙니다.

→ (            )

**3** 다음 그림이 나타내는 한자어를 찾아 선으로 이으세요.

낮 열두 시

• 正午

• 中間

**4** 다음 밑줄 친 말에 해당하는 한자를 보기 에서 찾아 그 번호를 쓰세요.

• 몇 년 전부터 시골에 빈집이 많아졌다고 합니다. → (            )

**5** 다음 ☐ 안에 들어갈 한자에 ◯표 하세요.

이 일은 ☐前 중에 끝내야 합니다.

午 / 中

**6** 다음 한자의 뜻과 음(소리)으로 알맞은 것을 찾아 선으로 이으세요.

| | | |
|---|---|---|
| 낮 • | • 時 • | • 시 |
| 때 • | • 午 • | • 오 |

**7** 다음 밑줄 친 한자어의 음(소리)을 쓰세요.

<u>每月</u> 셋째 주 금요일에는 봉사 활동을 합니다.

→ (　　　　　)

**8** 다음 밑줄 친 한자의 뜻을 보기 에서 찾아 그 번호를 쓰세요.

보기

① 매양　② 사이　③ 바깥

• 오늘은 <u>間</u>식으로 삶은 고구마를 먹었습니다. → (　　　　　)

# 생각을 키워요 ①

국어+한문 다음 만화를 읽고, 성어의 뜻을 생각해 보세요.

**今時初聞**

이제 금 때 시 처음 초 들을 문

◆ **성어의 뜻을 살펴보며 빈칸에 알맞은 한자를 채우세요.**

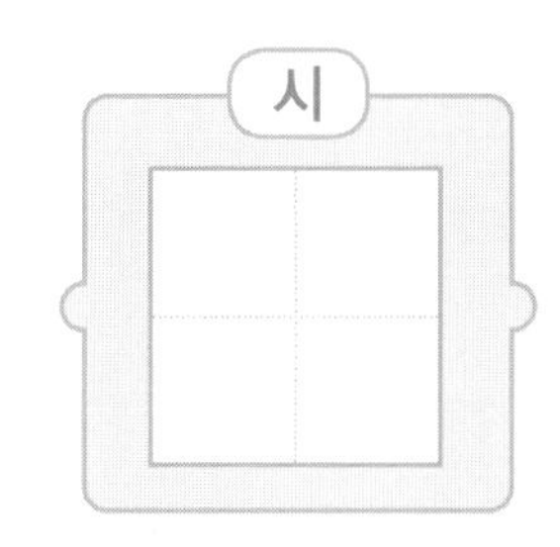

→ '바로 지금 처음으로 들음.'이라는 뜻으로, 어떤 사실에 대해 처음 듣는 상황을 이르는 말. '時' 대신 '始(비로소 시)'를 사용하기도 함.

# 4주 특강 창의·융합·코딩 생각을 키워요 ②

코딩+한문 다음 기호에 해당하는 한자를 보기에서 찾아 쓰세요.

보기

每 間 午 空 時

동★는
같은 때, 같은 시기를 뜻한다.

●중은
하늘과 땅 사이의 빈 곳을 뜻한다.

중◆은
두 사물의 사이, 공간이나 시간 등의 가운데를 뜻한다.

정■는
낮 열두 시를 뜻한다.

▼일은
하루하루의 모든 날을 뜻한다.

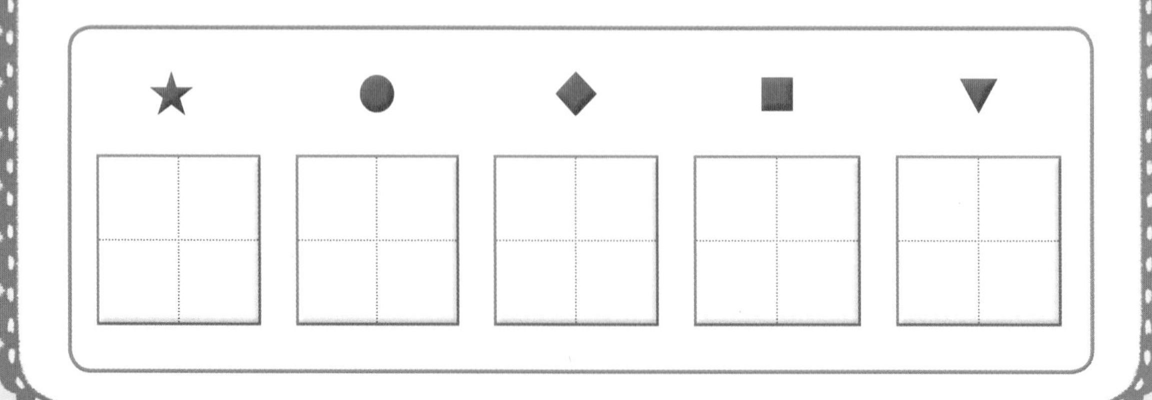

◐ 정답 21쪽

**1** 앞에서 알아낸 기호를 가지고 탐정이 건넨 편지를 해석하여 ☐에 우리말로 쓰세요.

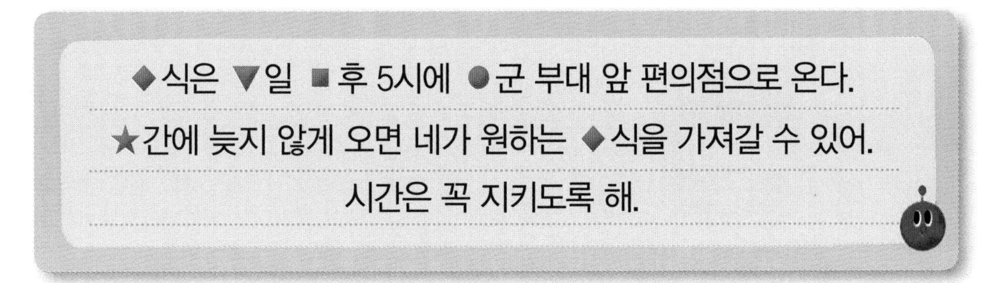
◆식은 ▼일 ■후 5시에 ●군 부대 앞 편의점으로 온다.
★간에 늦지 않게 오면 네가 원하는 ◆식을 가져갈 수 있어.
시간은 꼭 지키도록 해.

(1) 약속 시간은 언제인가요?

일
후 5시


(2) 약속 시간 전까지 가면 무엇을 마음껏 가져갈 수 있나요?

식


4주

**2** 다음 뜻에 해당하는 한자어와 그 음(소리)을 쓰세요.

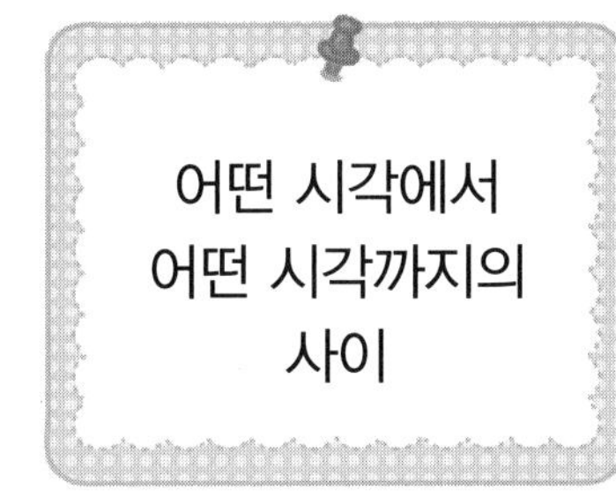

어떤 시각에서
어떤 시각까지의
사이


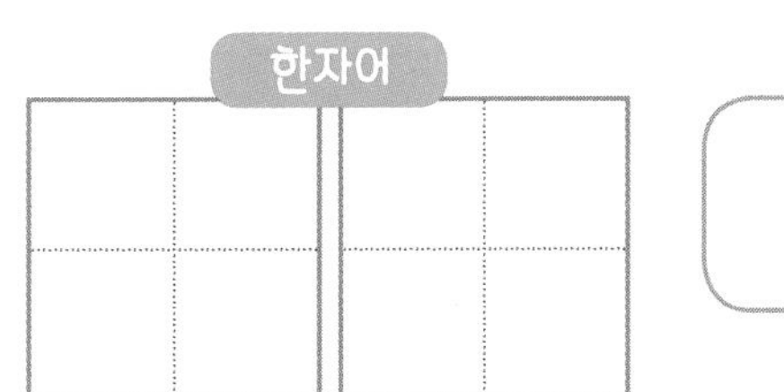

한자어


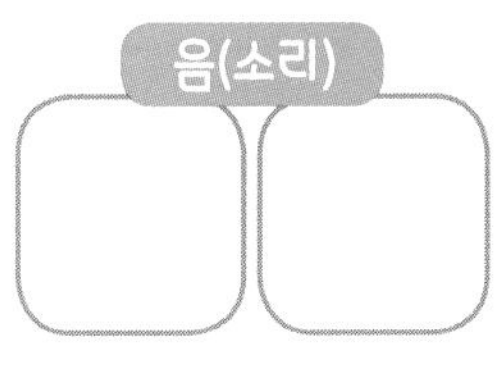

음(소리)

# 생각을 키워요 ③

국어+한문 두 사람의 대화를 읽고, 물음에 답하세요.

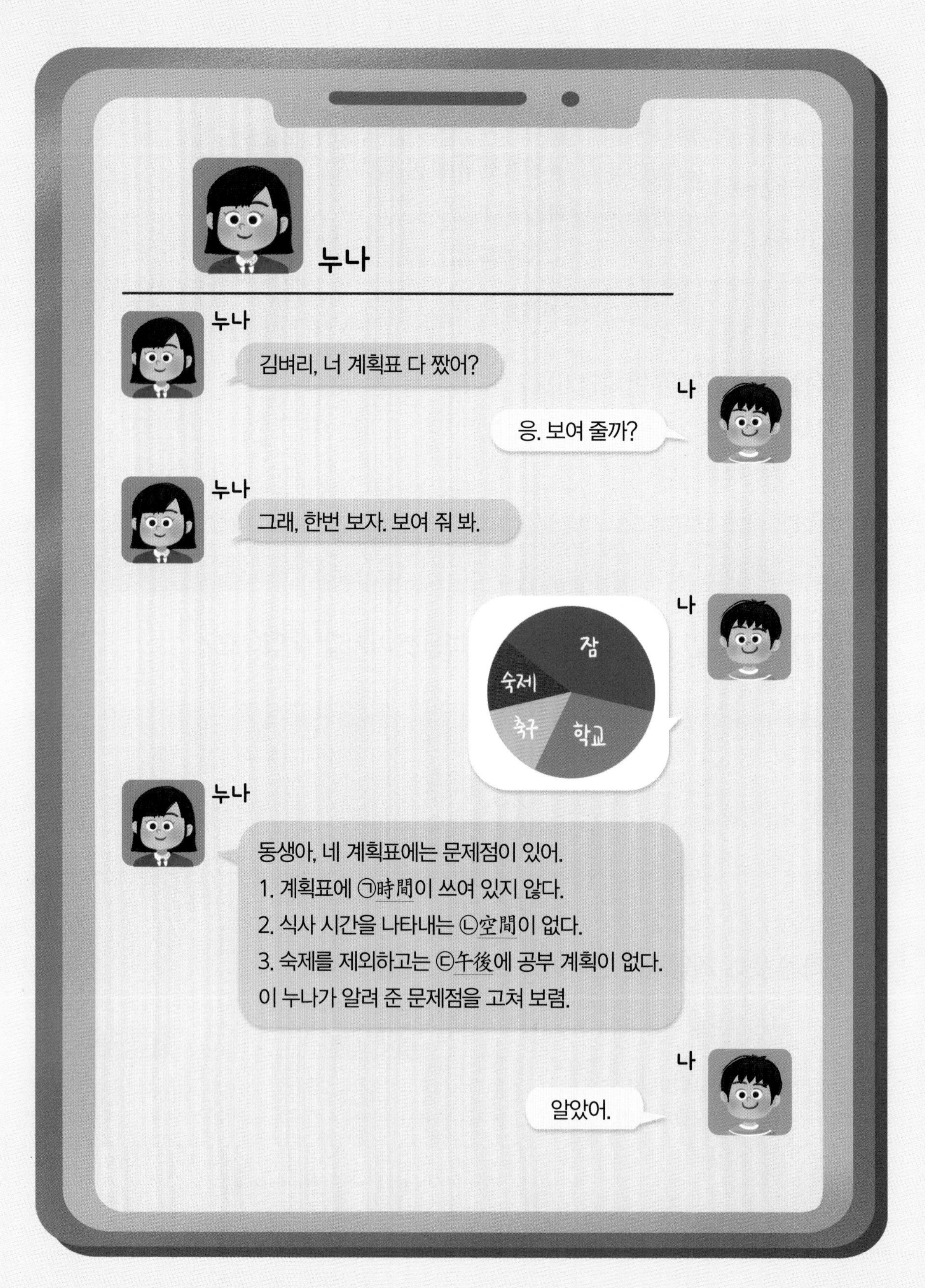

누나
누나
김벼리, 너 계획표 다 짰어?
나
응. 보여 줄까?
누나
그래, 한번 보자. 보여 줘 봐.
나
잠
숙제
축구
학교
누나
동생아, 네 계획표에는 문제점이 있어.
1. 계획표에 ㉠時間이 쓰여 있지 않다.
2. 식사 시간을 나타내는 ㉡空間이 없다.
3. 숙제를 제외하고는 ㉢午後에 공부 계획이 없다.
이 누나가 알려 준 문제점을 고쳐 보렴.
나
알았어.

**1**

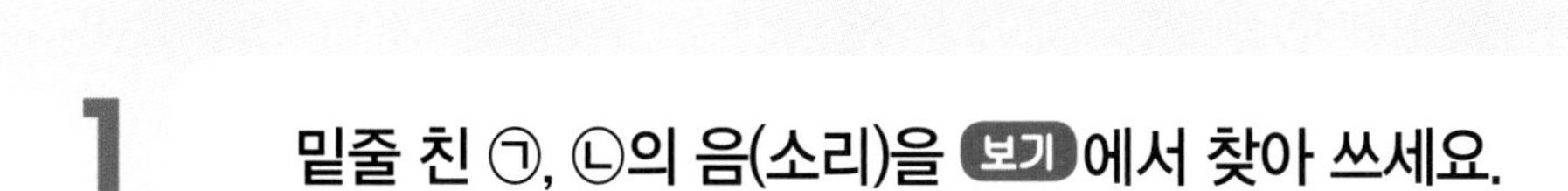

밑줄 친 ㉠, ㉡의 음(소리)을 보기 에서 찾아 쓰세요.

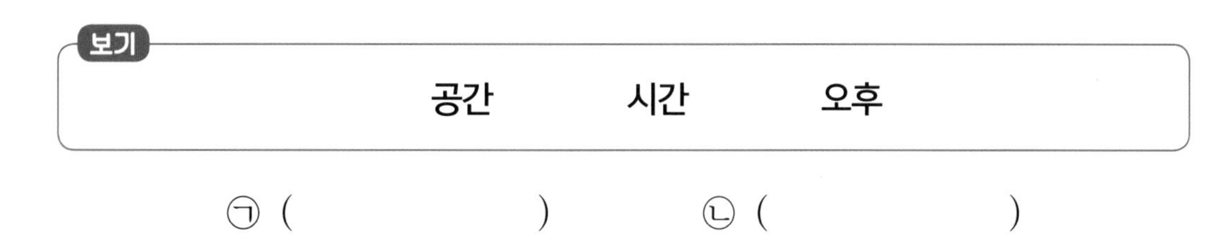
보기
공간
시간
오후

㉠ (　　　　　　　　) 　　　　㉡ (　　　　　　　　)

**2**

밑줄 친 ㉢의 뜻과 어울리는 전자시계에 ✔표 하세요.

7:00
11:00
17:00

**3**

㉠, ㉡, ㉢ 중 빈칸 에 알맞은 한자어를 찾아 기호를 쓰세요.

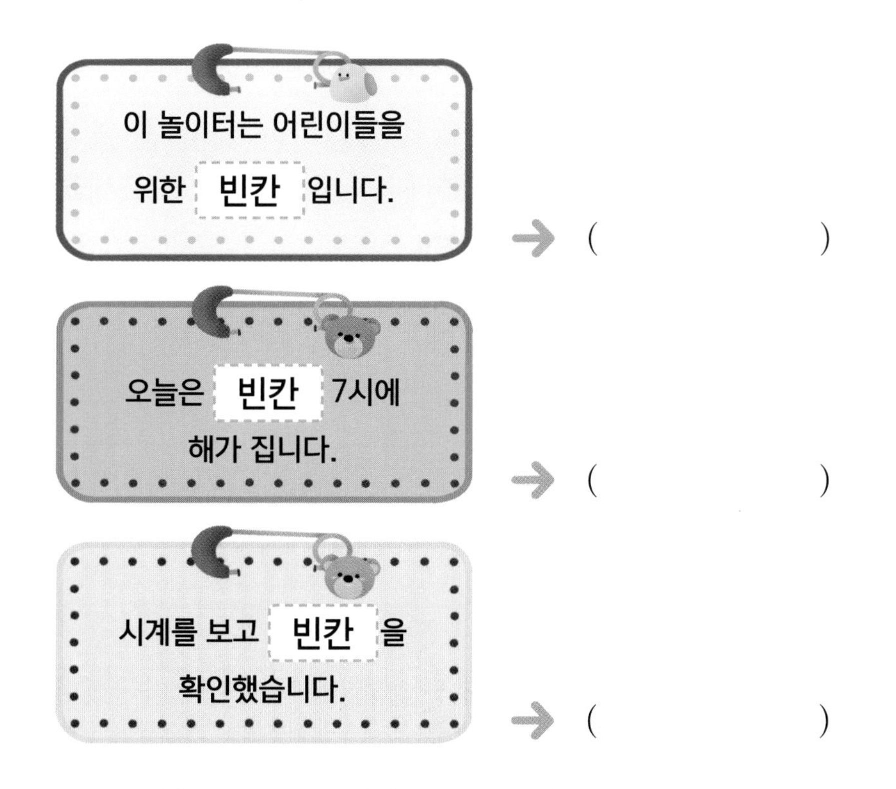
이 놀이터는 어린이들을
위한 빈칸 입니다.
오늘은 빈칸 7시에
해가 집니다.
시계를 보고 빈칸 을
확인했습니다.

→ (　　　　　　　　)

→ (　　　　　　　　)

→ (　　　　　　　　)

4주

# 7급 II 급수 시험 맛보기 1회

[문제 1~5] 다음 밑줄 친 漢字語한자어의 音(음: 소리)을 쓰세요.

보기

四月 → 사월

1 아빠는 每事에 진지하십니다.

( )

2 山中의 왕은 호랑이입니다.

( )

3 下車할 때는 좌우를 살펴야 합니다.

( )

4 食前에는 손을 씻어야 합니다.

( )

5 약속 時間에 늦지 맙시다.

( )

[문제 6~9] 다음 漢字한자의 訓(훈: 뜻)과 音(음: 소리)을 쓰세요.

보기

月 → 달 월

6 右 ( )

7 空 ( )

8 左 ( )

9 海 ( )

[문제 10~11] 다음 밑줄 친 漢字語한자어를 보기에서 골라 그 번호를 쓰세요.

보기

① 左右 ② 外國
③ 食前 ④ 土木

10 친구가 외국으로 이민을 갔습니다.

( )

11 삼촌은 토목 회사에 다니십니다.

( )

[문제 12~14] 다음 訓(훈: 뜻)과 音(음: 소리)에 맞는 漢字한자를 보기 에서 골라 그 번호를 쓰세요.

보기
① 內 ② 電 ③ 間 ④ 午

12 낮 오 (　　　　　)

13 안 내 (　　　　　)

14 번개 전 (　　　　　)

[문제 15~16] 다음 漢字한자의 상대 또는 반대되는 漢字한자를 보기 에서 골라 그 번호를 쓰세요.

보기
① 前 ② 左 ③ 下 ④ 右

15 上 ↔ (　　　　　)

16 後 ↔ (　　　　　)

[문제 17~18] 다음 뜻에 맞는 漢字語한자어를 보기 에서 찾아 그 번호를 쓰세요.

보기
① 上下 ② 食水
③ 下車 ④ 前後

17 마시는 물 (　　　　　)

18 위와 아래 (　　　　　)

[문제 19~20] 다음 漢字한자의 진하게 표시된 획은 몇 번째 쓰는지 보기 에서 찾아 그 번호를 쓰세요.

보기
① 두 번째 ② 세 번째
③ 네 번째 ④ 다섯 번째

19

(　　　　　)

20

(　　　　　)

# 7급Ⅱ 급수 시험 맛보기 2회

**[문제 1~5] 다음 밑줄 친 漢字語한자어의 音(음: 소리)을 쓰세요.**

보기

中心 → 중심

1 <u>間食</u>으로 과일을 먹었습니다.

( )

2 <u>漢江</u>에는 예쁜 분수가 있습니다.

( )

3 바다를 지키는 <u>海軍</u>이 되고 싶습니다.

( )

4 <u>家電</u>제품을 사용하지 않을 때는 전원을 내려 둡니다. ( )

5 <u>正午</u>를 알리는 종이 울렸습니다.

( )

**[문제 6~9] 다음 漢字한자의 訓(훈: 뜻)과 音(음: 소리)을 쓰세요.**

보기

上 → 윗상

6 每 ( )

7 下 ( )

8 中 ( )

9 前 ( )

**[문제 10~11] 다음 밑줄 친 漢字語한자어를 보기에서 골라 그 번호를 쓰세요.**

보기

① 空氣 ② 午後
③ 下校 ④ 午前

10 <u>공기</u>는 눈에 보이지 않습니다.

( )

11 숙제는 <u>오전</u> 중에 마치겠습니다.

( )

[문제 12~14] 다음 訓(훈: 뜻)과 音(음: 소리)에 맞는 漢字한자를 보기 에서 골라 그 번호를 쓰세요.

보기
① 江 ② 方 ③ 後 ④ 時

12 때 시 (　　　　)

13 뒤 후 (　　　　)

14 모 방 (　　　　)

[문제 15~16] 다음 漢字한자의 상대 또는 반대되는 漢字한자를 보기 에서 골라 그 번호를 쓰세요.

보기
① 外 ② 右 ③ 後 ④ 下

15 左 ↔ (　　　　)

16 內 ↔ (　　　　)

[문제 17~18] 다음 뜻에 맞는 漢字語한자어를 보기 에서 찾아 그 번호를 쓰세요.

보기
① 正午 ② 白土
③ 每月 ④ 土木

17 달마다 (　　　　)

18 희고 고운 흙 (　　　　)

[문제 19~20] 다음 漢字한자의 진하게 표시된 획은 몇 번째 쓰는지 보기 에서 찾아 그 번호를 쓰세요.

보기
① 첫 번째 ② 두 번째
③ 세 번째 ④ 네 번째

19

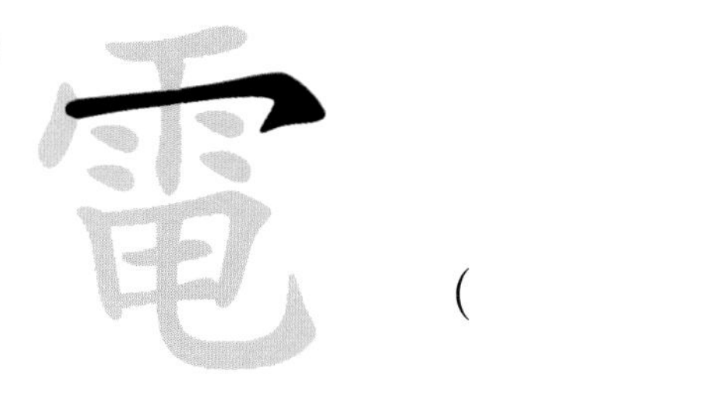

(　　　　)

20

(　　　　)

똑똑한 하루 한자 ★2단계-A★

# 학습 내용 찾아보기

## 한자



## 한자어

memo

memo

자연 한자
江
강 강

자연 한자
土
흙 토

자연 한자
海
바다 해

자연 한자
水
물 수

한자와 뜻·음(소리)을 쓰세요.
土
土
뜻
음

한자와 뜻·음(소리)을 쓰세요.
江
江
뜻
음

한자와 뜻·음(소리)을 쓰세요.
水
水
뜻
음

한자와 뜻·음(소리)을 쓰세요.
海
海
뜻
음

자연 한자
電
번개 전

위치 한자
上
윗 상

위치 한자
下
아래 하

위치 한자
左
왼 좌

한자와 뜻·음(소리)을 쓰세요.
上
上
뜻
음

한자와 뜻·음(소리)을 쓰세요.
電
電
뜻
음

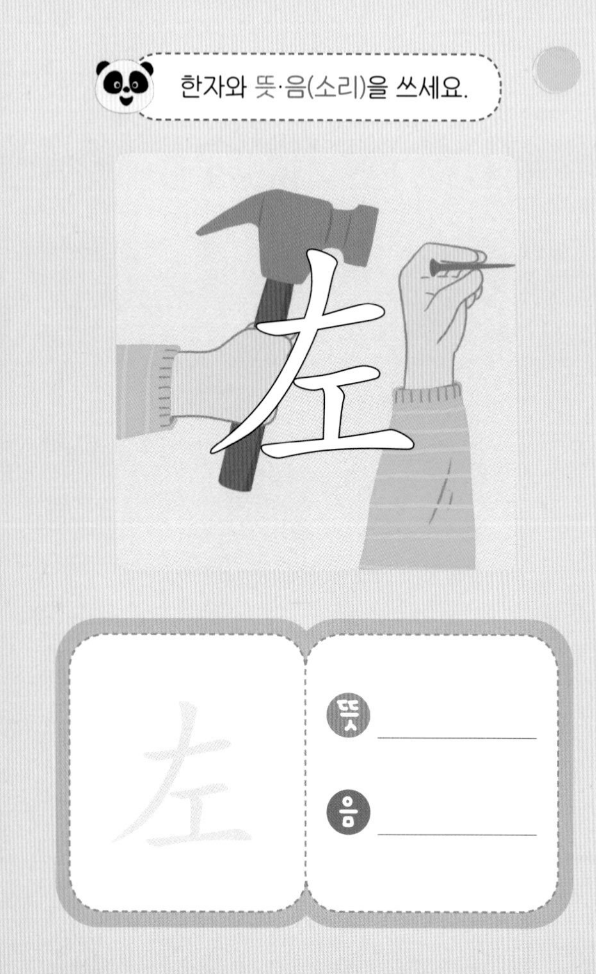
한자와 뜻·음(소리)을 쓰세요.
左
左
뜻
음

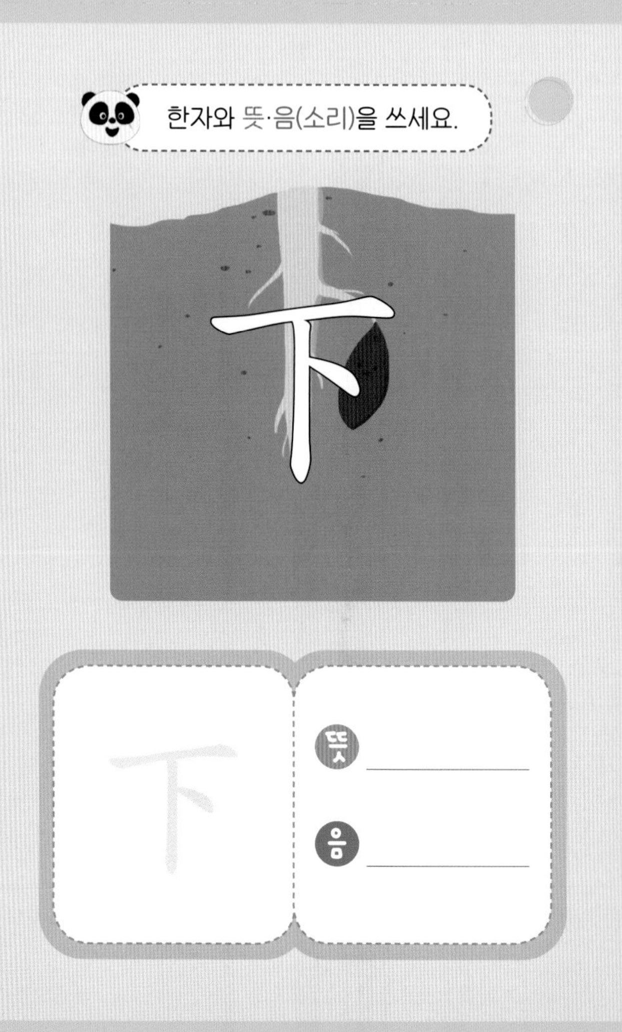
한자와 뜻·음(소리)을 쓰세요.
下
下
뜻
음

위치 한자
右
오른 우

위치 한자
方
모 방

위치 한자
前
앞 전

위치 한자
後
뒤 후

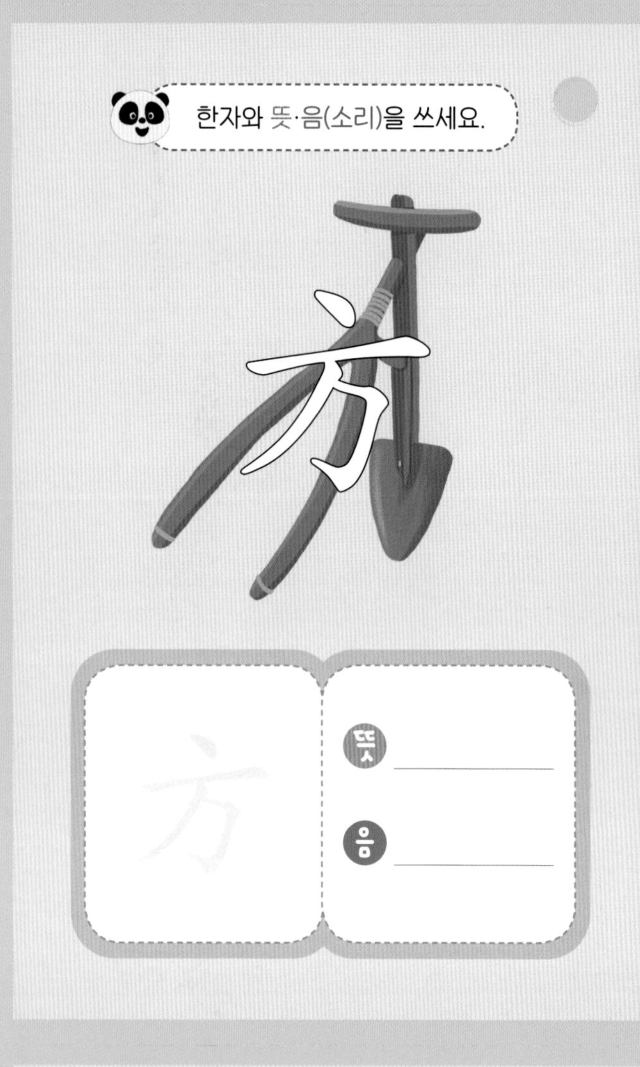
한자와 뜻·음(소리)을 쓰세요.
方
方
뜻
음

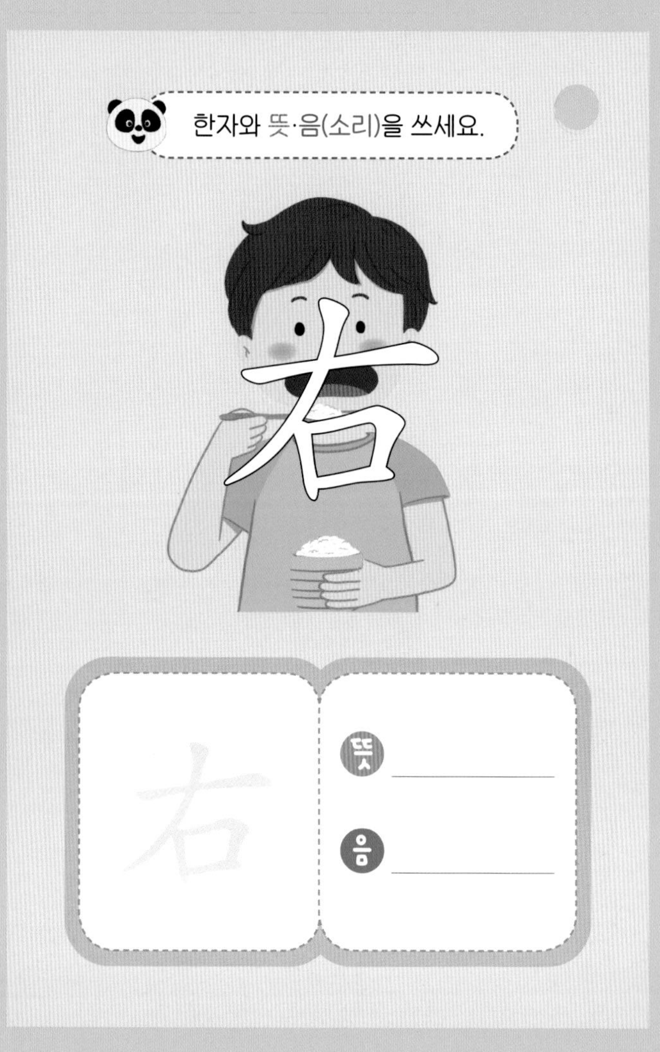
한자와 뜻·음(소리)을 쓰세요.
右
右
뜻
음

한자와 뜻·음(소리)을 쓰세요.
後
後
뜻
음

한자와 뜻·음(소리)을 쓰세요.
前
前
뜻
음

위치 한자
内
안 내

위치 한자
外
바깥 외

위치 한자
中
가운데 중

시간 한자
時
때 시

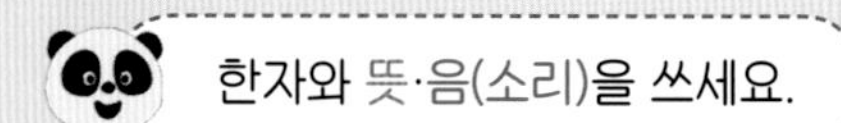
한자와 뜻·음(소리)을 쓰세요.

外

外

뜻 ______

음 ______

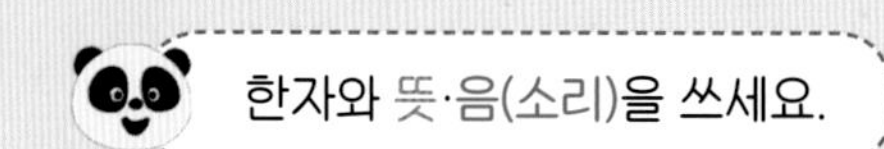
한자와 뜻·음(소리)을 쓰세요.

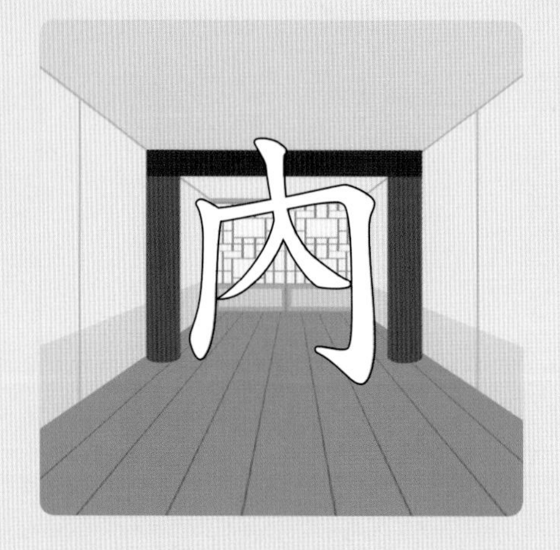
内

内

뜻 ______

음 ______

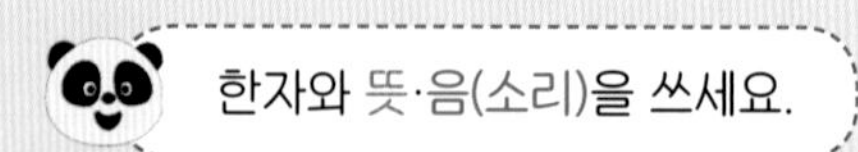
한자와 뜻·음(소리)을 쓰세요.

12
1
2
3
4
5
6
7
8
9
10
11
時

時
뜻
음

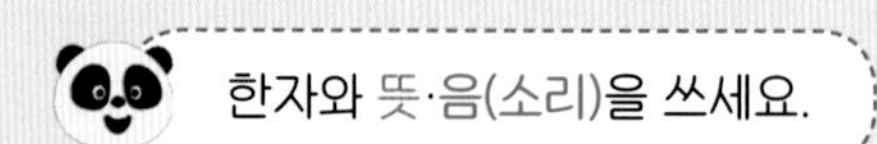
한자와 뜻·음(소리)을 쓰세요.

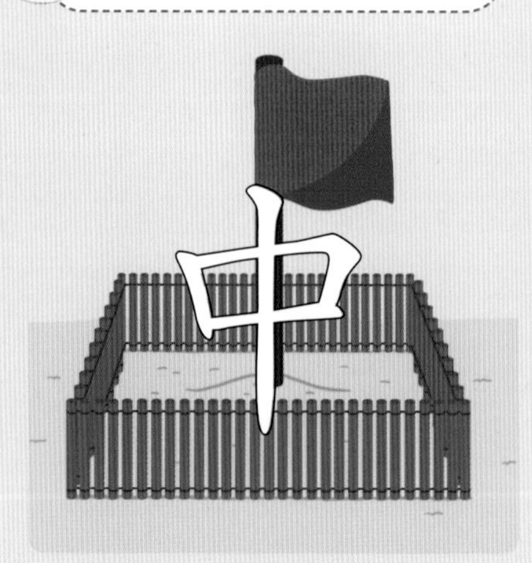
中

中
뜻
음

시간 한자
空
빌 공

시간 한자
間
사이 간

시간 한자
午
낮 오

시간 한자
每
매양 매

한자와 뜻·음(소리)을 쓰세요.

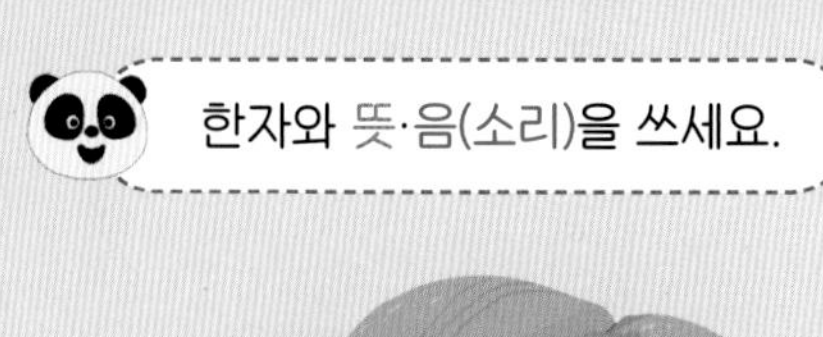

한자와 뜻·음(소리)을 쓰세요.

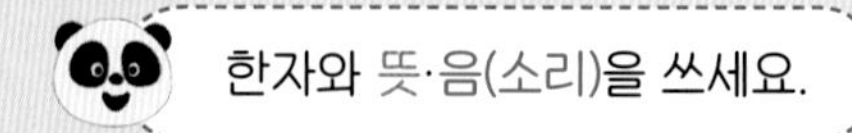

꼭 알아야 할
사자성어

水 漁 之 交

| 水 | 漁 | 之 | 交 |
|---|---|---|---|
| 물 | 물고기 | 갈 | 사귈 |
| 수 | 어 | 지 | 교 |

물고기에게 물은 정말 소중한 존재이지요.
수어지교란 물고기와 물의 관계처럼,
아주 친밀하여 떨어질 수 없는 사이
또는 깊은 우정을 일컫는 말이랍니다.

## 쉽다!

10분이면 하루치 공부를 마칠 수 있는 커리큘럼으로,
아이들이 초등 학습에 쉽고 재미있게 접근할 수 있도록
구성하였습니다.

## 재미있다!

교과서는 물론 생활 속에서 쉽게 접할 수 있는
다양한 소재와 재미있는 게임 형식의 문제로
흥미로운 학습이 가능합니다.

## 똑똑하다!

초등학생에게 꼭 필요한 학습 지식 습득은 물론
창의력 확장까지 가능한 교재로 올바른 공부습관을
가지는 데 도움을 줍니다.

| 과목 | 교재 구성 | 과목 | 교재 구성 |
|---|---|---|---|
| 하루 독해 | 예비초~6학년 각 A·B 14권 | 하루 VOCA | 3~6학년 각 A·B 8권 |
| 하루 어휘 | 예비초~6학년 각 A·B 14권 | 하루 영문법 | 3~6학년 각 A·B 8권 |
| 하루 글쓰기 | 예비초~6학년 각 A·B 14권 | 하루 리딩 | 3~6학년 각 A·B 8권 |
| 하루 한자 | 예비초: 예비초 A·B 2권<br>1~6학년: 1A~4C 12권 | 하루 파닉스 | 예비초~3학년 Starter A·B 8권 /<br>1A~3B 8권 |
| 하루 수학 | 1~6학년 1·2학기 12권 | 하루<br>봄·여름·가을·겨울 | 예비초~2학년 8권 |
| 하루 계산 | 예비초~6학년 각 A·B 14권 | 하루 사회 | 3~6학년 1·2학기 8권 |
| 하루 도형 | 예비초~6학년 각 A·B 14권 | 하루 과학 | 3~6학년 1·2학기 8권 |
| 하루 사고력 | 1~6학년 각 A·B 12권 | | |

※ 각 교재별 출간 시기는 조금씩 다르며, 일부 교재는 순차적으로 출시될 예정입니다.

똑 똑 한

# 하루 한자

# 정답

2 단계 A

7급Ⅱ 기초1

천재교육

배운 내용은
꼭꼭 복습하기!

뚝 뚝 한

# 하루 한자

# 정답

뚝뚝한 하루 한자

# 정답

1주 도입

010~011쪽

1주에는
무엇을 공부할까? ②
이번 주에 배울 한자들이 그림 속에 숨어 있어요. 보기를 참고해서 한자를 찾아보세요.
江 강 강 土 흙 토 海 바다 해 水 물 수 電 번개 전
江
電
海
水
土
10 • 똑똑한 하루 한자
2단계-A 1주 • 11


1주 1일

016~017쪽

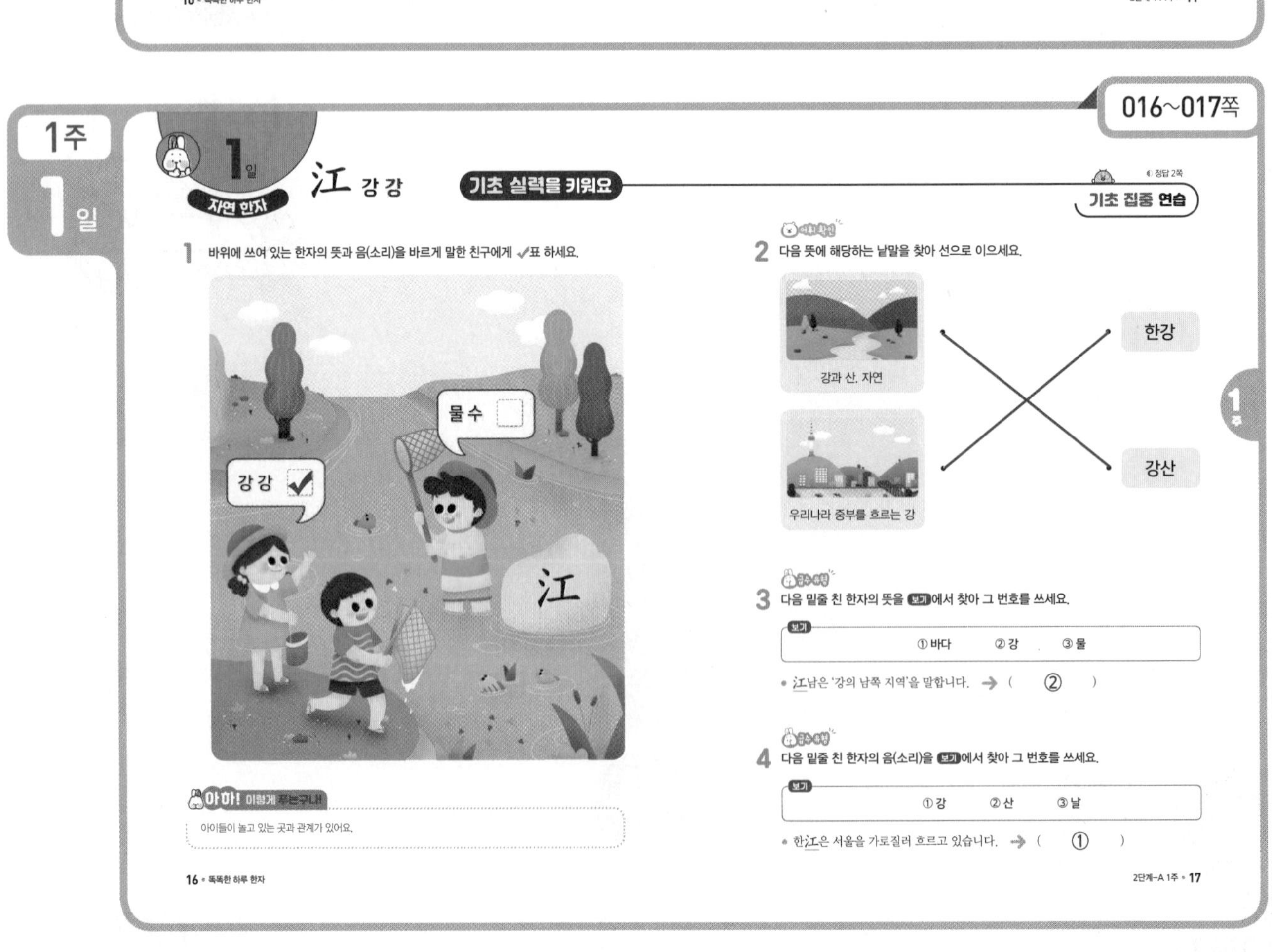

江 강 강
기초 실력을 키워요
기초 집중 연습
1 바위에 쓰여 있는 한자의 뜻과 음(소리)을 바르게 말한 친구에게 ✓표 하세요.
물 수
강 강 ✓
江
아이들이 놀고 있는 곳과 관계가 있어요.
2 다음 뜻에 해당하는 낱말을 찾아 선으로 이으세요.
강과 산. 자연
우리나라 중부를 흐르는 강
한강
강산
3 다음 밑줄 친 한자의 뜻을 보기에서 찾아 그 번호를 쓰세요.
① 바다 ② 강 ③ 물
• 江남은 '강의 남쪽 지역'을 말합니다. → ( ② )
4 다음 밑줄 친 한자의 음(소리)을 보기에서 찾아 그 번호를 쓰세요.
① 강 ② 산 ③ 날
• 한江은 서울을 가로질러 흐르고 있습니다. → ( ① )
16 • 똑똑한 하루 한자
2단계-A 1주 • 17

022~023쪽
1주
2일
2일
자연 한자
土 흙 토
기초 실력을 키워요
기초 집중 연습
1 그림 속 한자의 뜻과 음(소리)에 해당하는 것을 찾아 ✓표 하세요.
土
강 강
흙 토 ✓
아하! 이렇게 푸는구나!
한자가 쓰여 있는 곳과 관계가 있어요.
2 다음 뜻에 해당하는 낱말을 찾아 선으로 이으세요.
흙과 나무
땅이나 흙 등을 이르는 말
토지
토목
3 보기 와 같이 다음 한자의 뜻과 음(소리)을 쓰세요.
江 → 강 강
• 土 → ( 흙 토 )
4 다음 밑줄 친 낱말에 해당하는 한자어를 보기 에서 찾아 그 번호를 쓰세요.
① 土木 ② 土地 ③ 白土
• 백토는 생활 도자기를 만드는 데 많이 사용됩니다. → ( ③ )
22 • 똑똑한 하루 한자
2단계-A 1주 • 23
028~029쪽
1주
3일
3일
자연 한자
海 바다 해
기초 실력을 키워요
기초 집중 연습
1 거북과 돌고래는 자기가 지닌 한자의 뜻과 음(소리)이 쓰인 먹이만 먹을 수 있어요. 거북의 먹이는 노란색, 돌고래의 먹이는 빨간색으로 칠하세요.
江
흙 토
바다 해
강 강
海
아하! 이렇게 푸는구나!
제시된 한자들은 모두 물과 관계가 있어요.
2 다음 뜻에 해당하는 한자어를 찾아 ✓표 하세요.
주로 바다에서 공격과 방어의 임무를 수행하는 군대
海軍 ✓
海女
3 다음 뜻에 알맞은 한자를 보기 에서 찾아 그 번호를 쓰세요.
① 土 ② 江 ③ 海
• 바다 → ( ③ )
4 다음 밑줄 친 한자의 음(소리)을 보기 에서 찾아 그 번호를 쓰세요.
① 강 ② 해 ③ 매
• 우리나라와 일본 사이에 동海가 있습니다. → ( ② )
28 • 똑똑한 하루 한자
2단계-A 1주 • 29

# 정답

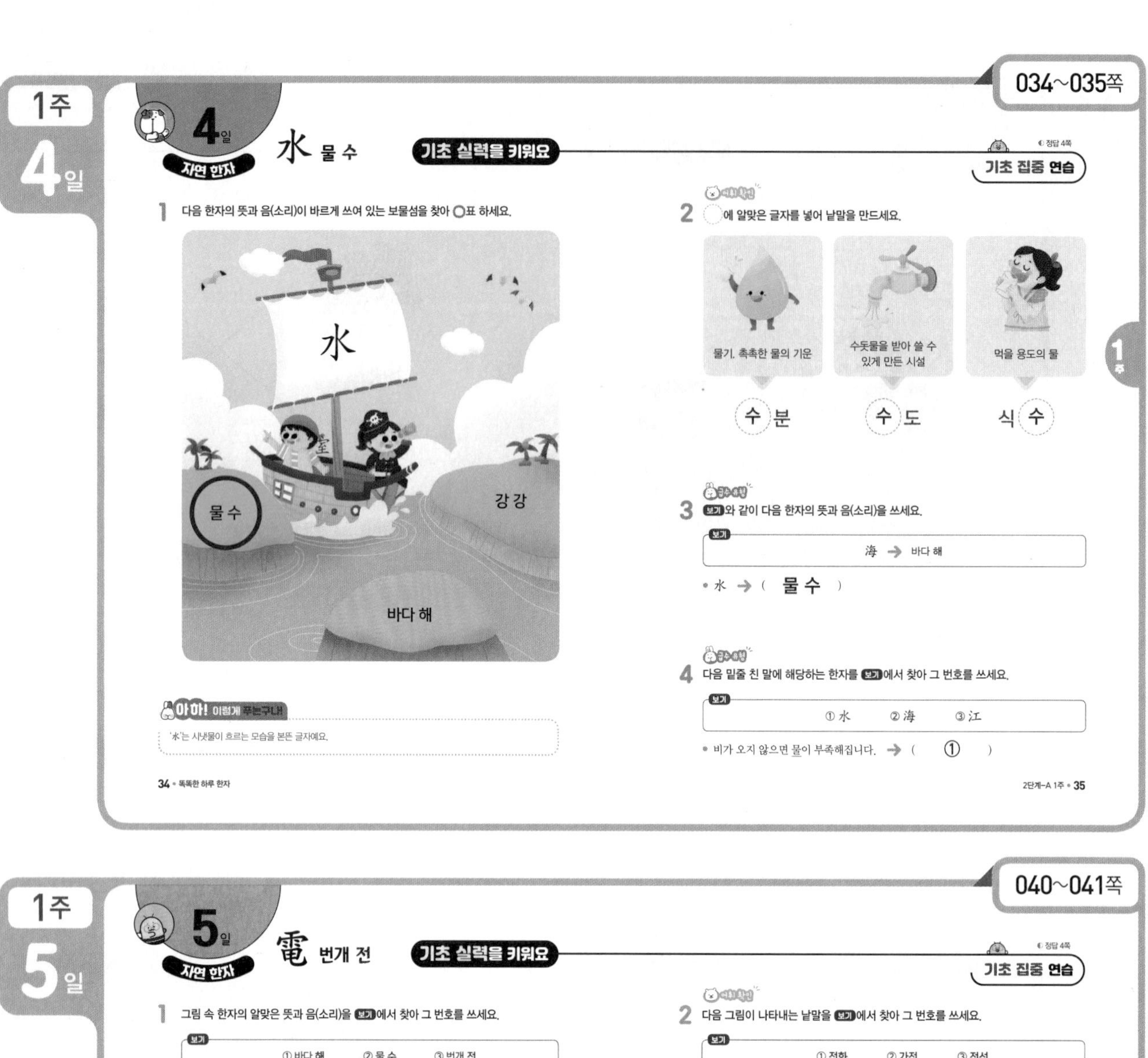

034~035쪽

1주 4일

4일 자연 한자

水 물 수 기초 실력을 키워요

1 다음 한자의 뜻과 음(소리)이 바르게 쓰여 있는 보물섬을 찾아 ○표 하세요.

水 / 물 수 / 강 강 / 바다 해

'水'는 시냇물이 흐르는 모습을 본뜬 글자예요.

34 • 똑똑한 하루 한자

기초 집중 연습

2 ◯에 알맞은 글자를 넣어 낱말을 만드세요.

물기, 촉촉한 물의 기운 — (수)분

수돗물을 받아 쓸 수 있게 만든 시설 — (수)도

먹을 용도의 물 — 식(수)

3 보기와 같이 다음 한자의 뜻과 음(소리)을 쓰세요.

보기: 海 → 바다 해

• 水 → ( 물 수 )

4 다음 밑줄 친 말에 해당하는 한자를 보기에서 찾아 그 번호를 쓰세요.

보기: ① 水 ② 海 ③ 江

• 비가 오지 않으면 물이 부족해집니다. → ( ① )

2단계-A 1주 • 35

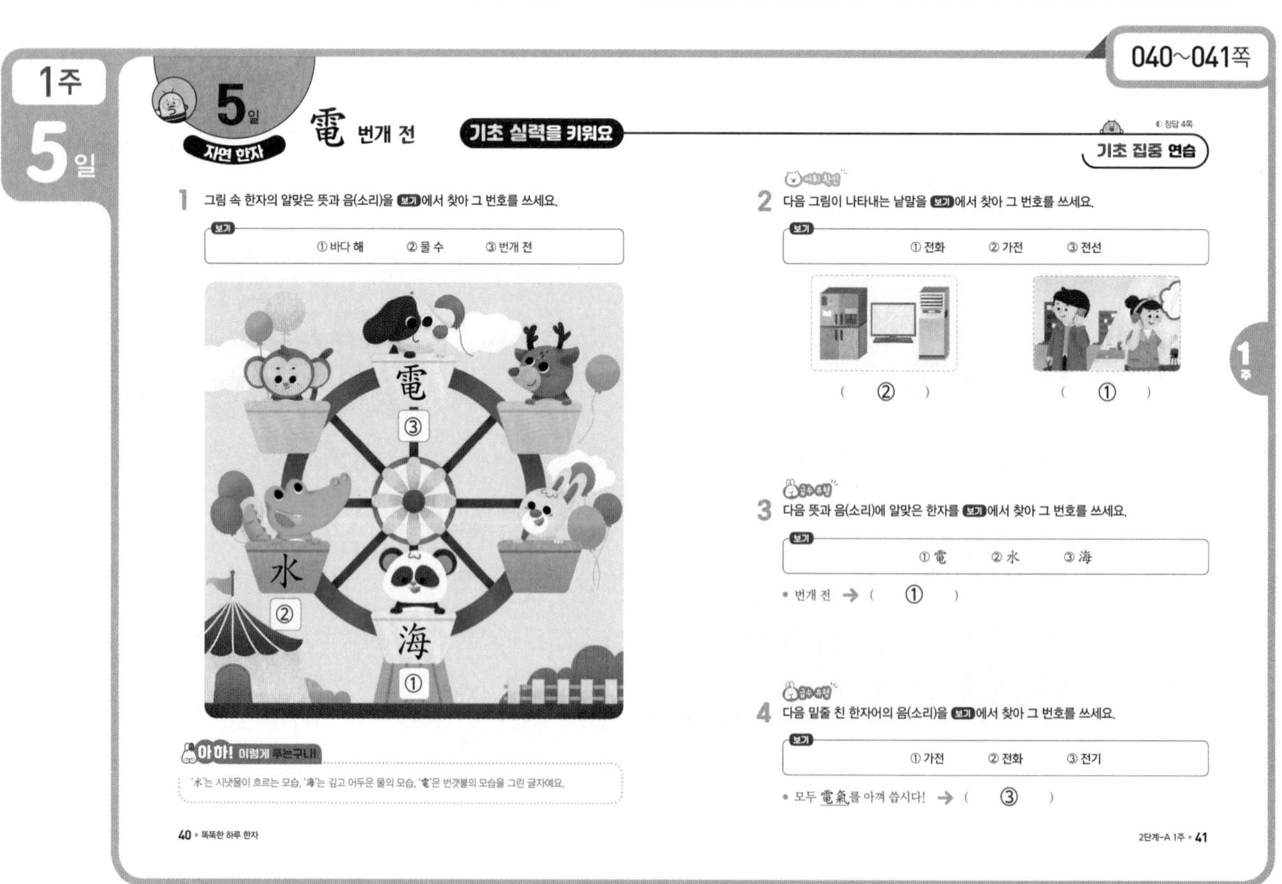

040~041쪽

1주 5일

5일 자연 한자

電 번개 전 기초 실력을 키워요

1 그림 속 한자의 알맞은 뜻과 음(소리)을 보기에서 찾아 그 번호를 쓰세요.

보기: ① 바다 해 ② 물 수 ③ 번개 전

電 ③ / 水 ② / 海 ①

'水'는 시냇물이 흐르는 모습, '海'는 깊고 어두운 물의 모습, '電'은 번갯불의 모습을 그린 글자예요.

40 • 똑똑한 하루 한자

기초 집중 연습

2 다음 그림이 나타내는 낱말을 보기에서 찾아 그 번호를 쓰세요.

보기: ① 전화 ② 가전 ③ 전선

( ② ) ( ① )

3 다음 뜻과 음(소리)에 알맞은 한자를 보기에서 찾아 그 번호를 쓰세요.

보기: ① 電 ② 水 ③ 海

• 번개 전 → ( ① )

4 다음 밑줄 친 한자어의 음(소리)을 보기에서 찾아 그 번호를 쓰세요.

보기: ① 가전 ② 전화 ③ 전기

• 모두 電氣를 아껴 씁시다! → ( ③ )

2단계-A 1주 • 41

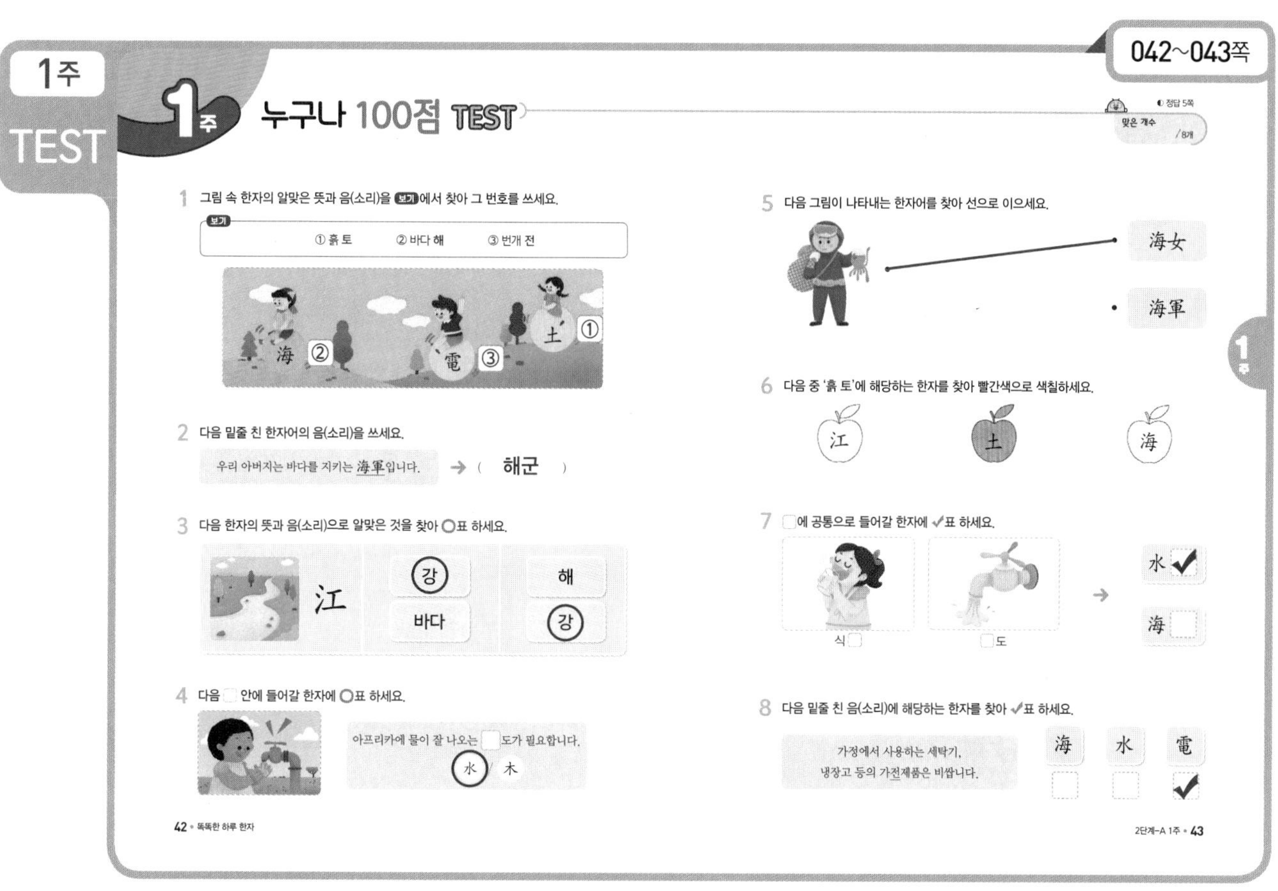
1주 TEST

042~043쪽

1주 누구나 100점 TEST

정답 5쪽 맞은 개수 /8개

1 그림 속 한자의 알맞은 뜻과 음(소리)을 보기에서 찾아 그 번호를 쓰세요.

보기 ① 흙 토 ② 바다 해 ③ 번개 전

海 ② 電 ③ 土 ①

2 다음 밑줄 친 한자어의 음(소리)을 쓰세요.

우리 아버지는 바다를 지키는 海軍입니다. → ( 해군 )

3 다음 한자의 뜻과 음(소리)으로 알맞은 것을 찾아 ○표 하세요.

江 강 / 바다 해 / 강

4 다음 □ 안에 들어갈 한자에 ○표 하세요.

아프리카에 물이 잘 나오는 □도가 필요합니다. 水 木

5 다음 그림이 나타내는 한자어를 찾아 선으로 이으세요.

海女 海軍

6 다음 중 '흙 토'에 해당하는 한자를 찾아 빨간색으로 색칠하세요.

江 土 海

7 □에 공통으로 들어갈 한자에 ✓표 하세요.

식□ □도 → 水 ✓ 海

8 다음 밑줄 친 음(소리)에 해당하는 한자를 찾아 ✓표 하세요.

가정에서 사용하는 세탁기, 냉장고 등의 가전제품은 비쌉니다.

海 水 電 ✓

42 • 똑똑한 하루 한자 2단계-A 1주 • 43

1주 특강

044~045쪽

1주 특강 창의·융합·코딩 생각을 키워요 1

정답 5쪽

국어+한문 다음 만화를 읽고, 성어의 뜻을 생각해 보세요.

人山人海 사람 인 메 산 사람 인 바다 해

여름 휴가철을 맞아 많은 사람들이 산과 바다를 찾았습니다. 현장 상황, 함께 보시죠.
아빠, 이거 보세요! 산과 바다에 사람들이 엄청 많이 몰려갔대요!
그렇구나. 인산인해라는 말이 딱 들어맞는 상황이네.
아빠, 우리는 휴가 어디로 가요? 사람들이 너무 많은 곳은 싫어요.
글쎄, 어디가 좋을까?
자, 이거.
이럴 줄 알고 내가 세 달 전부터 우리만의 여행을 준비했지!
와~!
척
척

◆ 성어의 뜻을 살펴보며 빈칸에 알맞은 한자를 채우세요.

인 산 인 해
人 山 人 海

→ '사람이 산을 이루고 바다를 이루었다.'라는 뜻으로, 사람이 수없이 많이 모인 상태를 이르는 말

44 • 똑똑한 하루 한자 2단계-A 1주 • 45

046~047쪽
1주
특강
1주 특강 생각을 키워요 ❷
창의·융합·코딩
코딩+한문 탐험가가 보물을 찾으러 가고 있어요. 암호를 풀며 보물이 있는 위치를 찾아 ○표 하세요.
암호
1. '水'의 뜻과 음(소리)은 '물 수'입니다.
맞으면 오른쪽으로 두 칸 가기
틀리면 아래로 한 칸 가기
2. '電'은 '기'라고 읽습니다.
맞으면 오른쪽으로 한 칸 가기
틀리면 아래로 한 칸 가기
3. '漢江'의 음(소리)은 '한강'입니다.
맞으면 왼쪽으로 두 칸 가기
틀리면 오른쪽으로 한 칸 가기
4. '白土'는 음(소리)은 '국토'입니다.
맞으면 아래로 한 칸 가기
틀리면 아래로 두 칸 가기
5. 바닷속에 들어가 해산물 따는 것을 직업으로 하는 여자를 '海女'라고 합니다.
맞으면 오른쪽으로 세 칸 가기
틀리면 위로 두 칸 가기
출발
46 똑똑한 하루 한자
2단계-A 1주 47

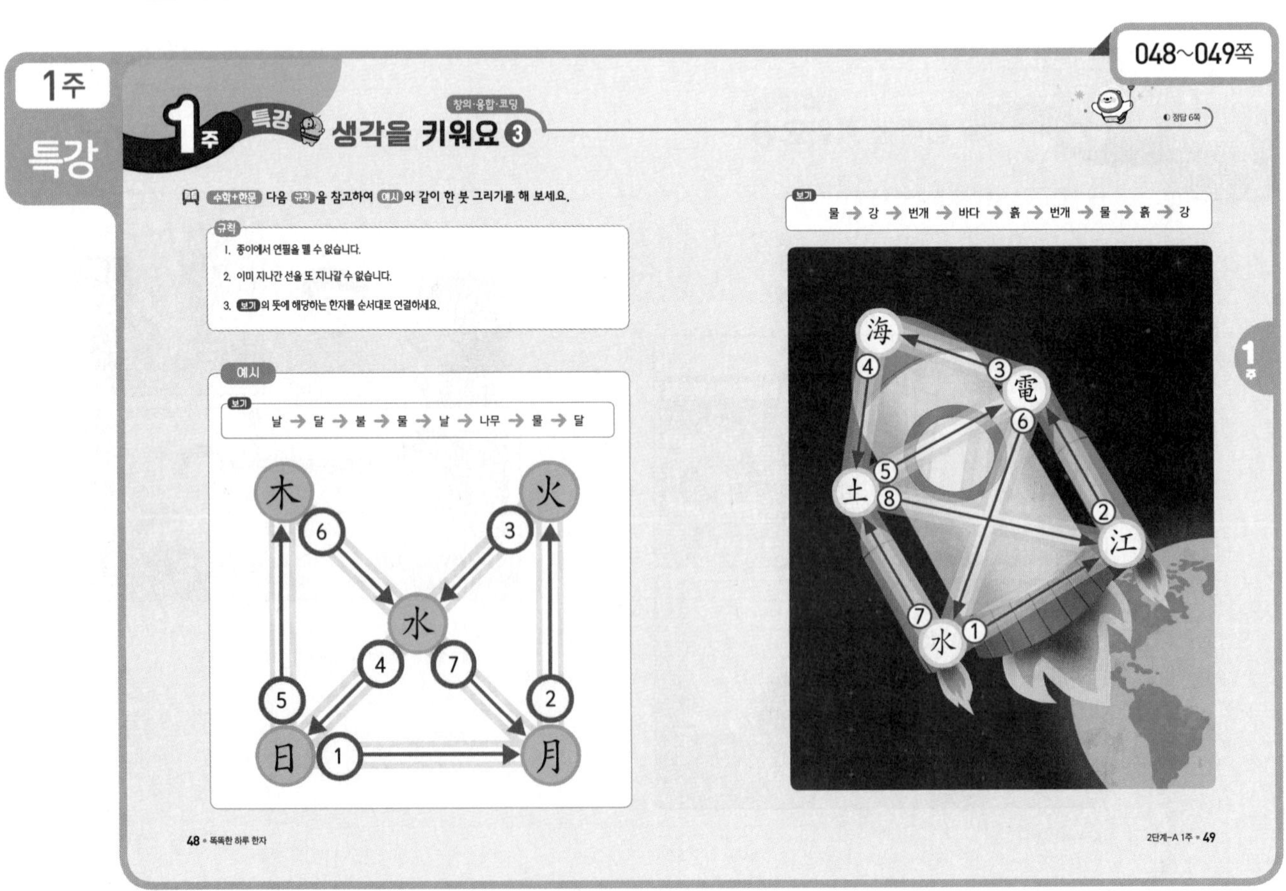
048~049쪽
1주
특강
1주 특강 생각을 키워요 ❸
창의·융합·코딩
수학+한문 다음 규칙을 참고하여 예시와 같이 한 붓 그리기를 해 보세요.
규칙
1. 종이에서 연필을 뗄 수 없습니다.
2. 이미 지나간 선을 또 지나갈 수 없습니다.
3. 보기의 뜻에 해당하는 한자를 순서대로 연결하세요.
예시
보기
날 → 달 → 불 → 물 → 날 → 나무 → 물 → 달
木 火 水 日 月
보기
물 → 강 → 번개 → 바다 → 흙 → 번개 → 물 → 흙 → 강
海 電 土 江 水
48 똑똑한 하루 한자
2단계-A 1주 49

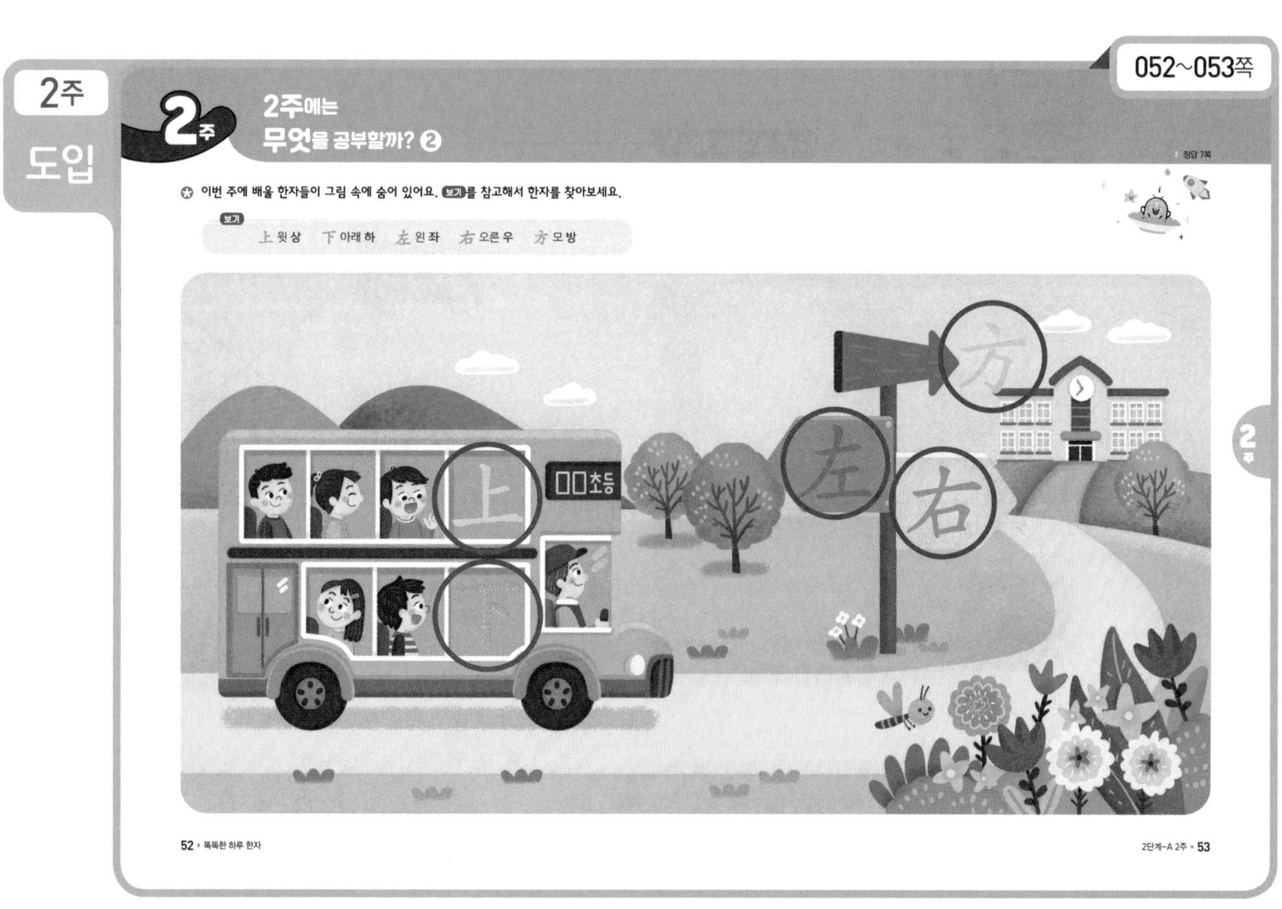

052~053쪽
2주 도입
2주에는 무엇을 공부할까? ❷
이번 주에 배울 한자들이 그림 속에 숨어 있어요. 보기를 참고해서 한자를 찾아보세요.
보기 上 윗 상 下 아래 하 左 왼 좌 右 오른 우 方 모 방
上
下
方
左
右


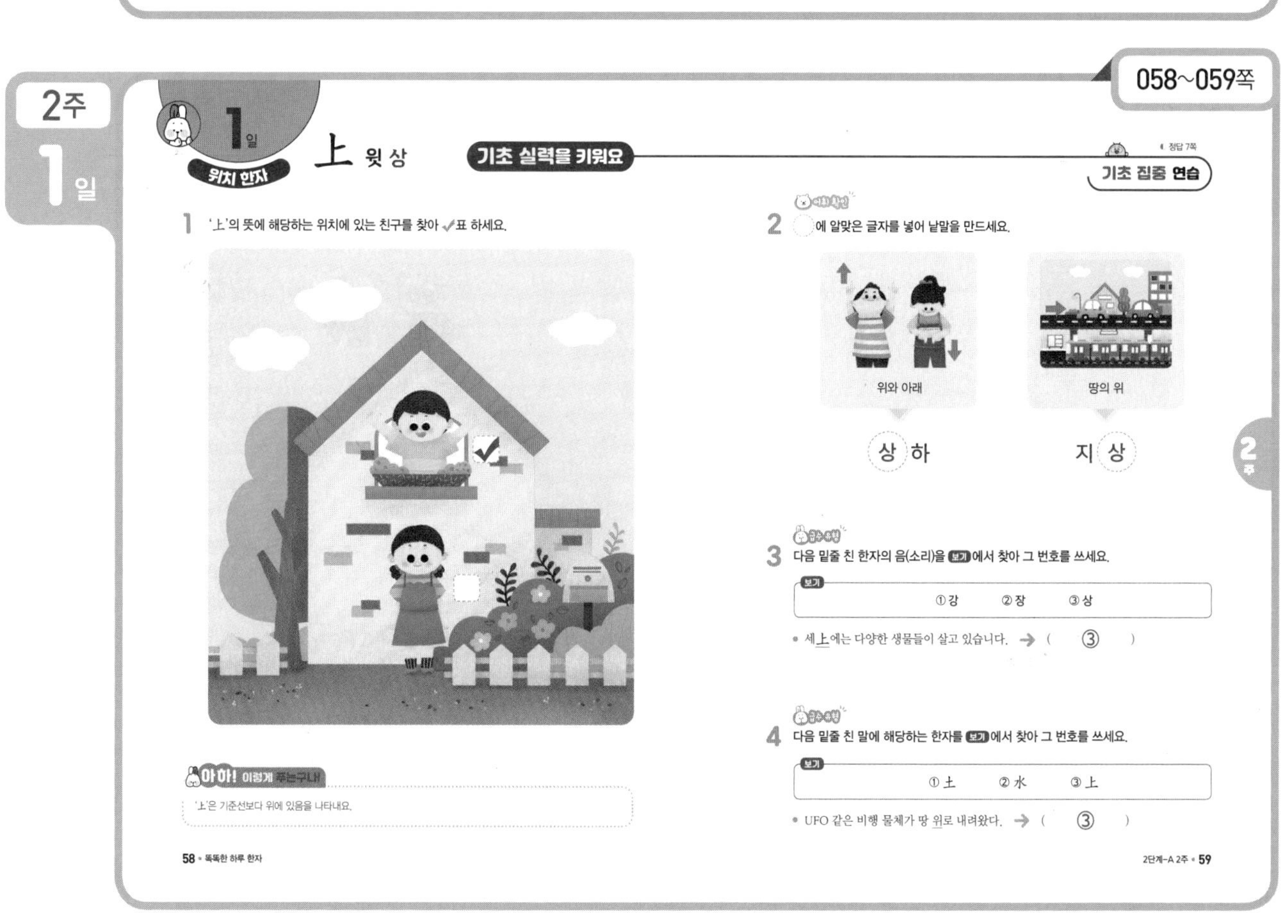

058~059쪽
2주 1일
上 윗 상 기초 실력을 키워요
1 '上'의 뜻에 해당하는 위치에 있는 친구를 찾아 ✓표 하세요.
아하! 이렇게 푸는구나!
'上'은 기준선보다 위에 있음을 나타내요.
기초 집중 연습
2 ○에 알맞은 글자를 넣어 낱말을 만드세요.
위와 아래 상 하
땅의 위 지 상
3 다음 밑줄 친 한자의 음(소리)을 보기에서 찾아 그 번호를 쓰세요.
보기 ① 강 ② 장 ③ 상
• 세上에는 다양한 생물들이 살고 있습니다. → ( ③ )
4 다음 밑줄 친 말에 해당하는 한자를 보기에서 찾아 그 번호를 쓰세요.
보기 ① 土 ② 水 ③ 上
• UFO 같은 비행 물체가 땅 위로 내려왔다. → ( ③ )

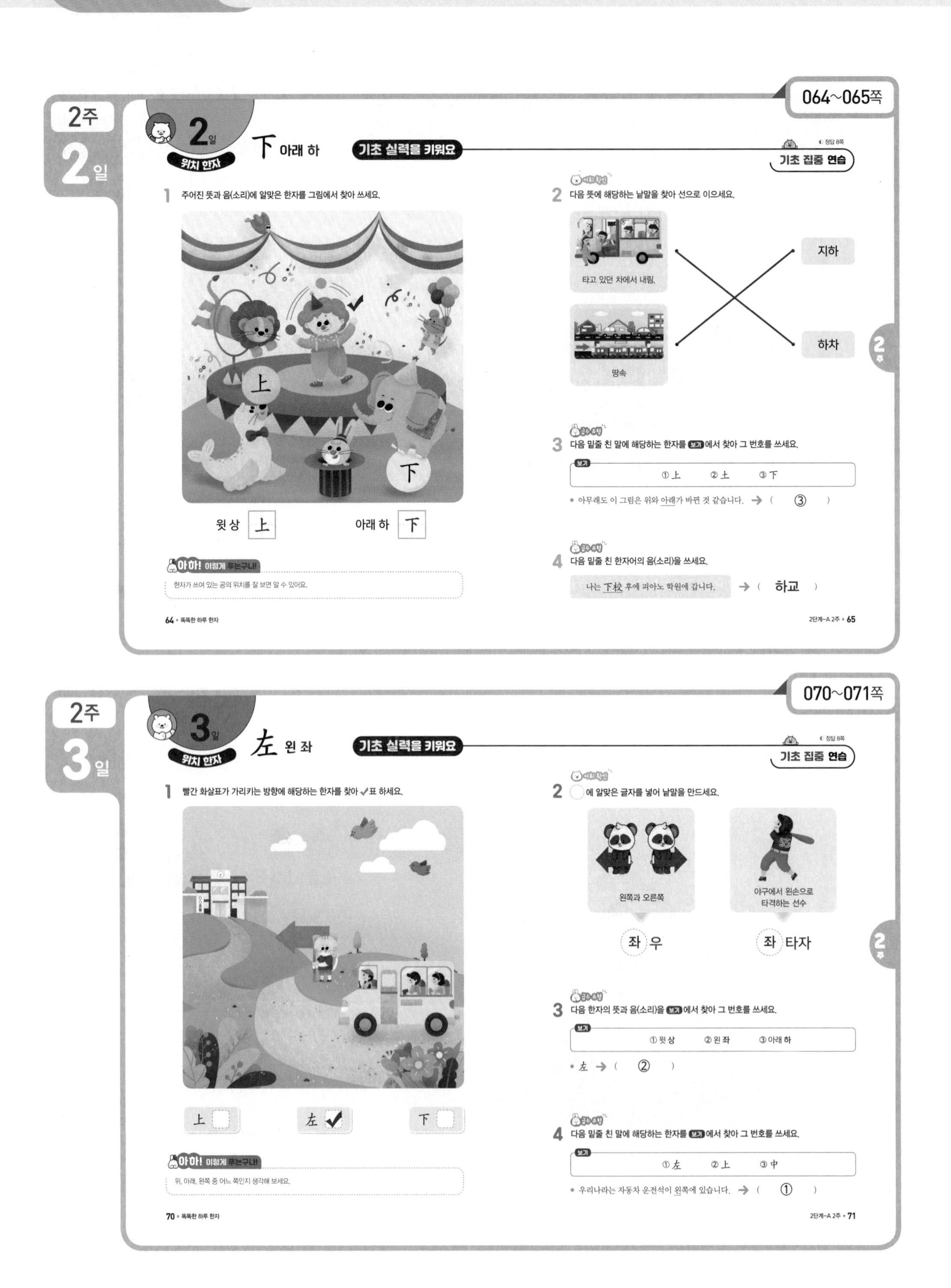
064~065쪽
2주 2일
2일 위치 한자
下 아래 하
기초 실력을 키워요
1 주어진 뜻과 음(소리)에 알맞은 한자를 그림에서 찾아 쓰세요.
上
下
윗 상 上
아래 하 下
아하! 이렇게 푸는구나!
한자가 쓰여 있는 공의 위치를 잘 보면 알 수 있어요.
기초 집중 연습
2 다음 뜻에 해당하는 낱말을 찾아 선으로 이으세요.
타고 있던 차에서 내림.
땅속
지하
하차
3 다음 밑줄 친 말에 해당하는 한자를 보기에서 찾아 그 번호를 쓰세요.
① 上 ② 土 ③ 下
• 아무래도 이 그림은 위와 아래가 바뀐 것 같습니다. → ( ③ )
4 다음 밑줄 친 한자어의 음(소리)을 쓰세요.
나는 下校 후에 피아노 학원에 갑니다. → ( 하교 )
64 • 똑똑한 하루 한자
2단계-A 2주 • 65
070~071쪽
2주 3일
3일 위치 한자
左 왼 좌
기초 실력을 키워요
1 빨간 화살표가 가리키는 방향에 해당하는 한자를 찾아 ✓표 하세요.
上
左 ✓
下
아하! 이렇게 푸는구나!
위, 아래, 왼쪽 중 어느 쪽인지 생각해 보세요.
기초 집중 연습
2 ○에 알맞은 글자를 넣어 낱말을 만드세요.
왼쪽과 오른쪽
좌 우
야구에서 왼손으로 타격하는 선수
좌 타자
3 다음 한자의 뜻과 음(소리)을 보기에서 찾아 그 번호를 쓰세요.
① 윗 상 ② 왼 좌 ③ 아래 하
• 左 → ( ② )
4 다음 밑줄 친 말에 해당하는 한자를 보기에서 찾아 그 번호를 쓰세요.
① 左 ② 上 ③ 中
• 우리나라는 자동차 운전석이 왼쪽에 있습니다. → ( ① )
70 • 똑똑한 하루 한자
2단계-A 2주 • 71

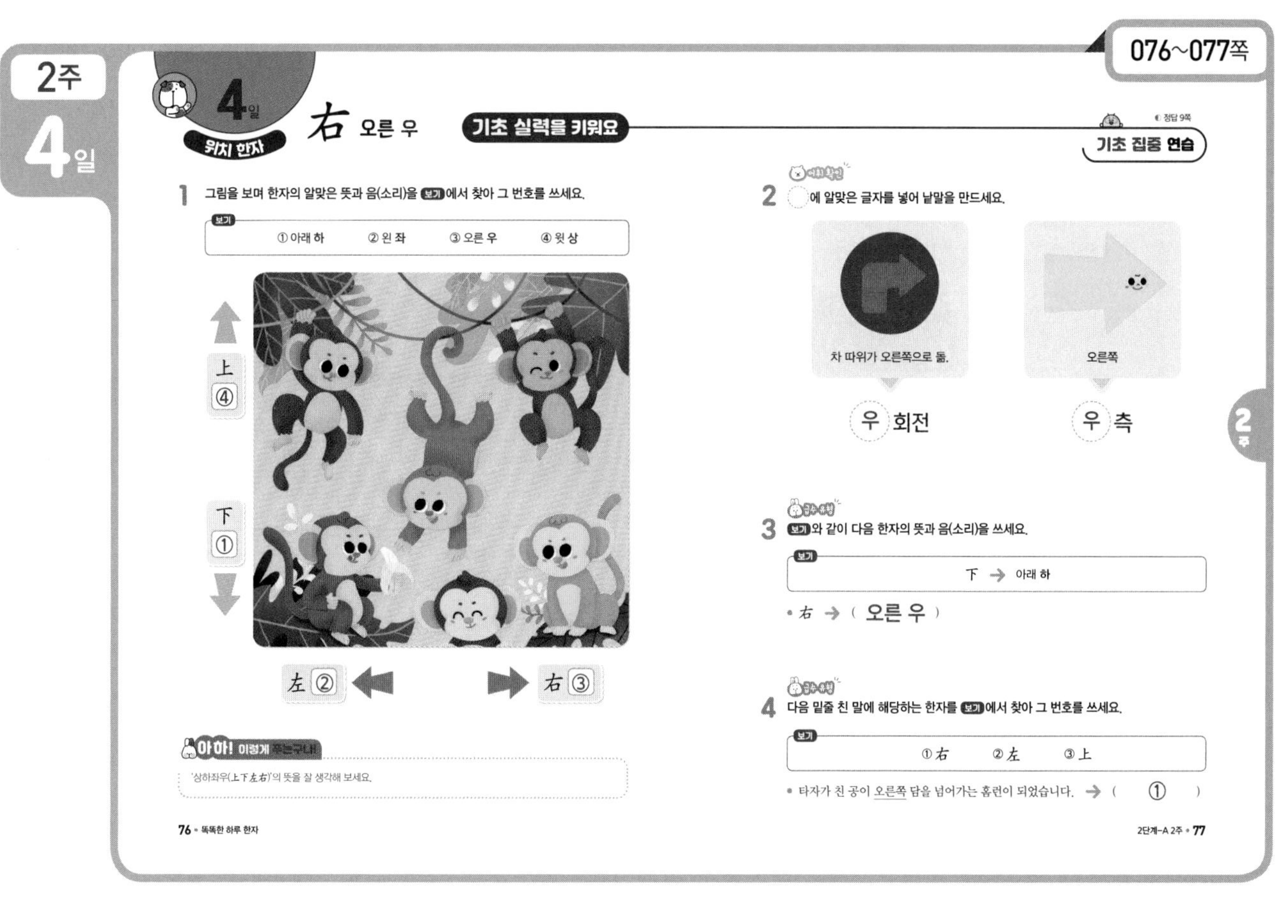

2주 4일

076~077쪽

4일 위치 한자

右 오른 우

기초 실력을 키워요

1 그림을 보며 한자의 알맞은 뜻과 음(소리)을 보기에서 찾아 그 번호를 쓰세요.

보기 ① 아래 하 ② 왼 좌 ③ 오른 우 ④ 윗 상

上 ④ 下 ① 左 ② 右 ③

아하! 이렇게 푸는구나!

'상하좌우(上下左右)'의 뜻을 잘 생각해 보세요.

76 • 똑똑한 하루 한자

정답 9쪽

기초 집중 연습

2 ◯에 알맞은 글자를 넣어 낱말을 만드세요.

차 따위가 오른쪽으로 돎. — 우 회전

오른쪽 — 우 측

3 보기와 같이 다음 한자의 뜻과 음(소리)을 쓰세요.

보기 下 → 아래 하

• 右 → ( 오른 우 )

4 다음 밑줄 친 말에 해당하는 한자를 보기에서 찾아 그 번호를 쓰세요.

보기 ① 右 ② 左 ③ 上

• 타자가 친 공이 오른쪽 담을 넘어가는 홈런이 되었습니다. → ( ① )

2단계-A 2주 • 77

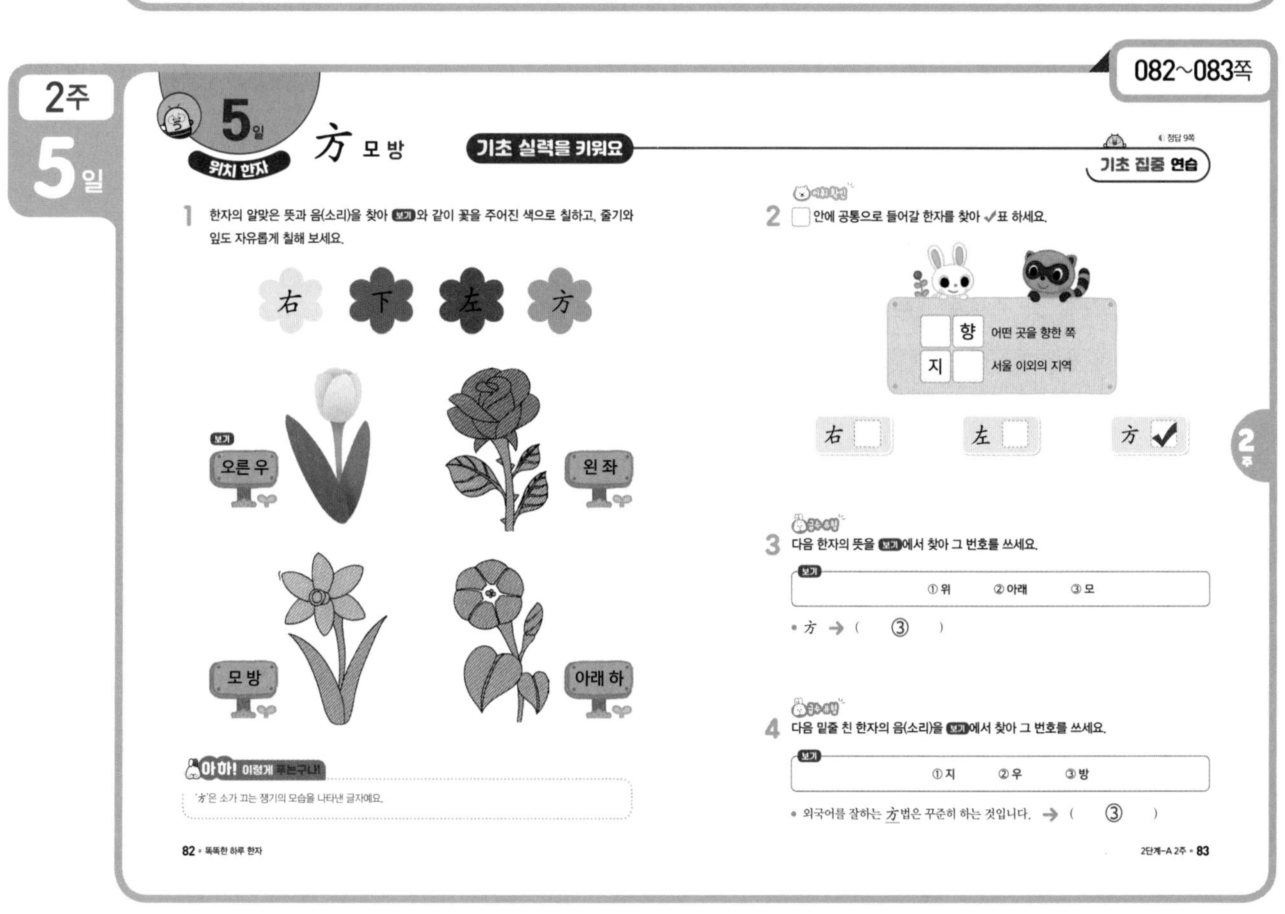

2주 5일

082~083쪽

5일 위치 한자

方 모 방

기초 실력을 키워요

1 한자의 알맞은 뜻과 음(소리)을 찾아 보기와 같이 꽃을 주어진 색으로 칠하고, 줄기와 잎도 자유롭게 칠해 보세요.

右 下 左 方

보기 오른 우 / 왼 좌 / 모 방 / 아래 하

아하! 이렇게 푸는구나!

'方'은 소가 끄는 쟁기의 모습을 나타낸 글자예요.

82 • 똑똑한 하루 한자

정답 9쪽

기초 집중 연습

2 ☐ 안에 공통으로 들어갈 한자를 찾아 ✓표 하세요.

☐ 향 어떤 곳을 향한 쪽

지 ☐ 서울 이외의 지역

右 ☐ 左 ☐ 方 ✓

3 다음 한자의 뜻을 보기에서 찾아 그 번호를 쓰세요.

보기 ① 위 ② 아래 ③ 모

• 方 → ( ③ )

4 다음 밑줄 친 한자의 음(소리)을 보기에서 찾아 그 번호를 쓰세요.

보기 ① 지 ② 우 ③ 방

• 외국어를 잘하는 方법은 꾸준히 하는 것입니다. → ( ③ )

2단계-A 2주 • 83

084~085쪽

2주 TEST

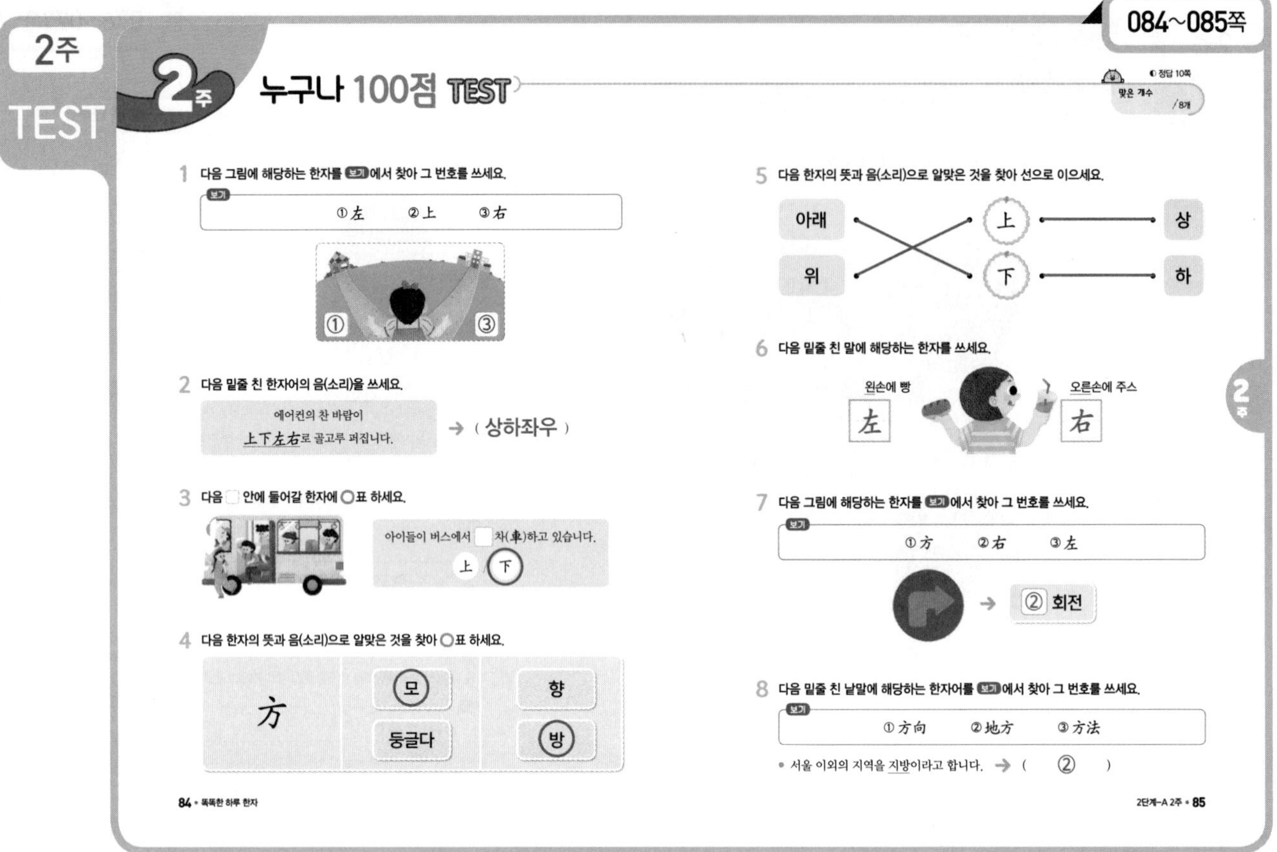
2주 누구나 100점 TEST

정답 10쪽 맞은 개수 /8개

1 다음 그림에 해당하는 한자를 보기에서 찾아 그 번호를 쓰세요.

보기 ① 左 ② 上 ③ 右

① ③

2 다음 밑줄 친 한자어의 음(소리)을 쓰세요.

에어컨의 찬 바람이 上下左右로 골고루 퍼집니다. → ( 상하좌우 )

3 다음 □ 안에 들어갈 한자에 ○표 하세요.

아이들이 버스에서 □차(車)하고 있습니다. 上 (下)

4 다음 한자의 뜻과 음(소리)으로 알맞은 것을 찾아 ○표 하세요.

方 (모) 향 둥글다 (방)

5 다음 한자의 뜻과 음(소리)으로 알맞은 것을 찾아 선으로 이으세요.

아래 — 下 — 하
위 — 上 — 상

6 다음 밑줄 친 말에 해당하는 한자를 쓰세요.

왼손에 빵 左 오른손에 주스 右

7 다음 그림에 해당하는 한자를 보기에서 찾아 그 번호를 쓰세요.

보기 ① 方 ② 右 ③ 左

→ ② 회전

8 다음 밑줄 친 낱말에 해당하는 한자어를 보기에서 찾아 그 번호를 쓰세요.

보기 ① 方向 ② 地方 ③ 方法

• 서울 이외의 지역을 지방이라고 합니다. → ( ② )

84 • 똑똑한 하루 한자 2단계-A 2주 • 85

086~087쪽

2주 특강

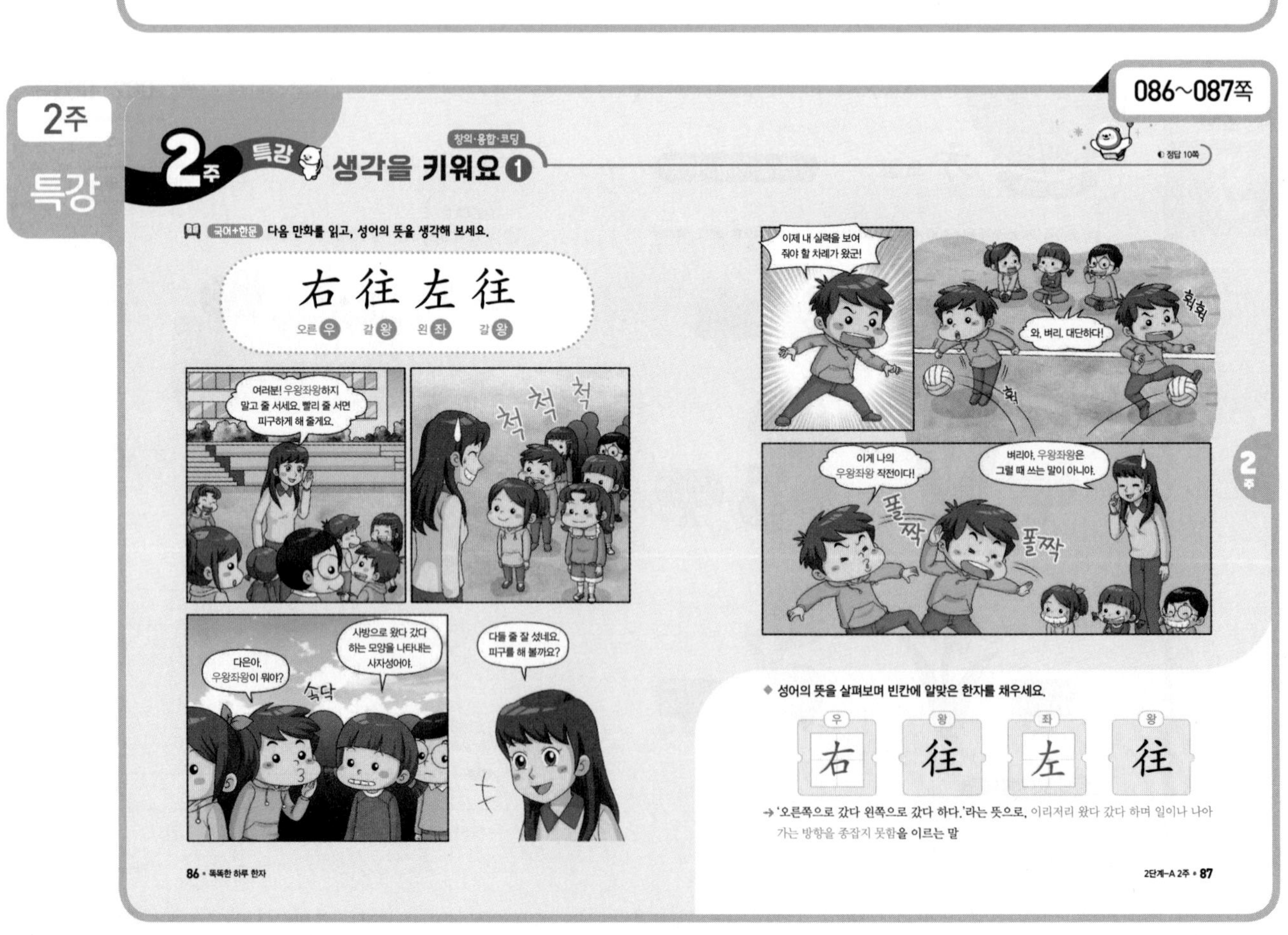
2주 특강 생각을 키워요 ❶ 창의·융합·코딩

정답 10쪽

국어+인성 다음 만화를 읽고, 성어의 뜻을 생각해 보세요.

右往左往 오른 우 갈 왕 왼 좌 갈 왕



◆ 성어의 뜻을 살펴보며 빈칸에 알맞은 한자를 채우세요.

우 右 왕 往 좌 左 왕 往

→ '오른쪽으로 갔다 왼쪽으로 갔다 하다.'라는 뜻으로, 이리저리 왔다 갔다 하며 일이나 나아가는 방향을 종잡지 못함을 이르는 말

86 • 똑똑한 하루 한자 2단계-A 2주 • 87

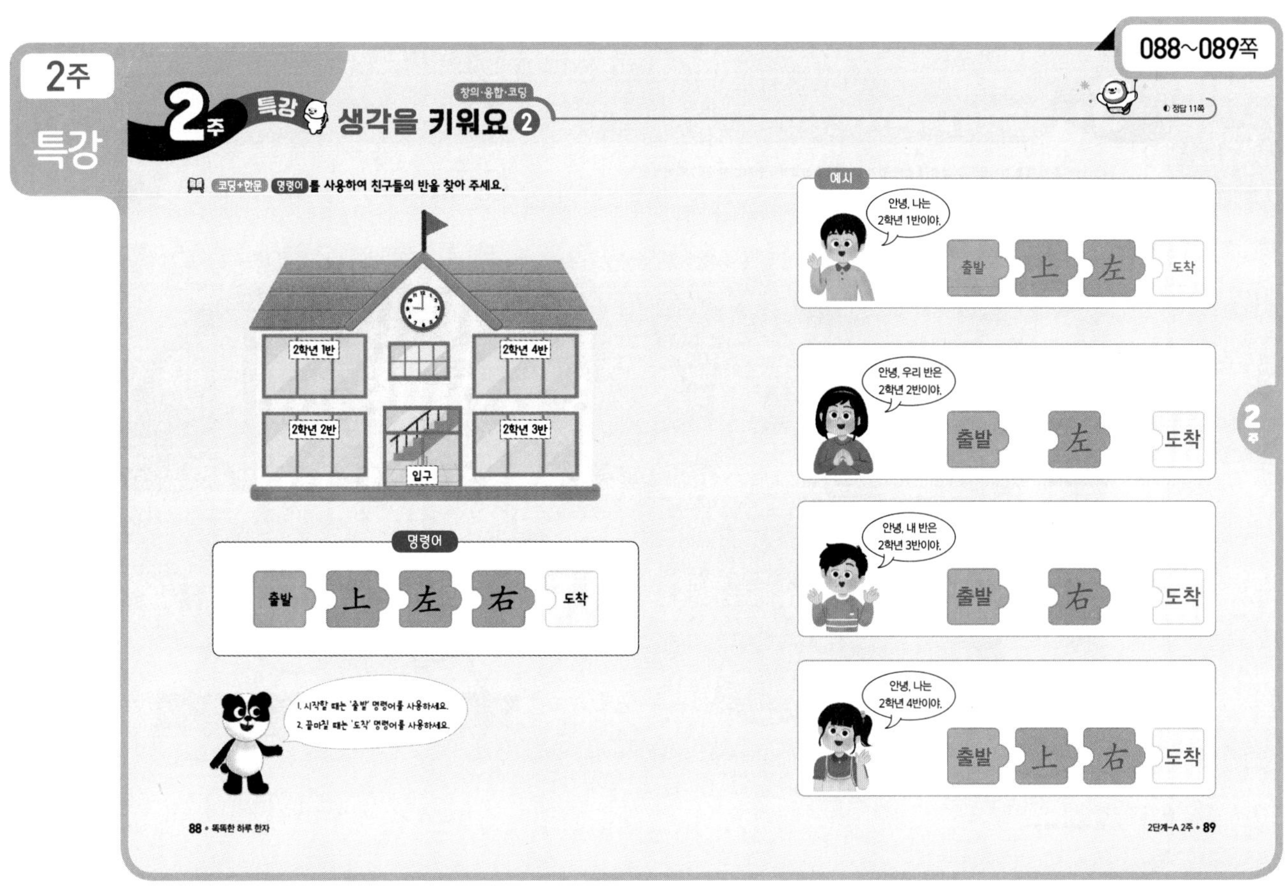
088~089쪽
2주 특강
2주 특강 생각을 키워요 ②
창의·융합·코딩
코딩+한문 명령어를 사용하여 친구들의 반을 찾아 주세요.
2학년 1반
2학년 4반
2학년 2반
2학년 3반
입구
명령어
출발 上 左 右 도착
1. 시작할 때는 '출발' 명령어를 사용하세요.
2. 끝마칠 때는 '도착' 명령어를 사용하세요.
예시
안녕, 나는 2학년 1반이야.
출발 上 左 도착
안녕, 우리 반은 2학년 2반이야.
출발 左 도착
안녕, 내 반은 2학년 3반이야.
출발 右 도착
안녕, 나는 2학년 4반이야.
출발 上 右 도착
88 똑똑한 하루 한자
2단계-A 2주 89

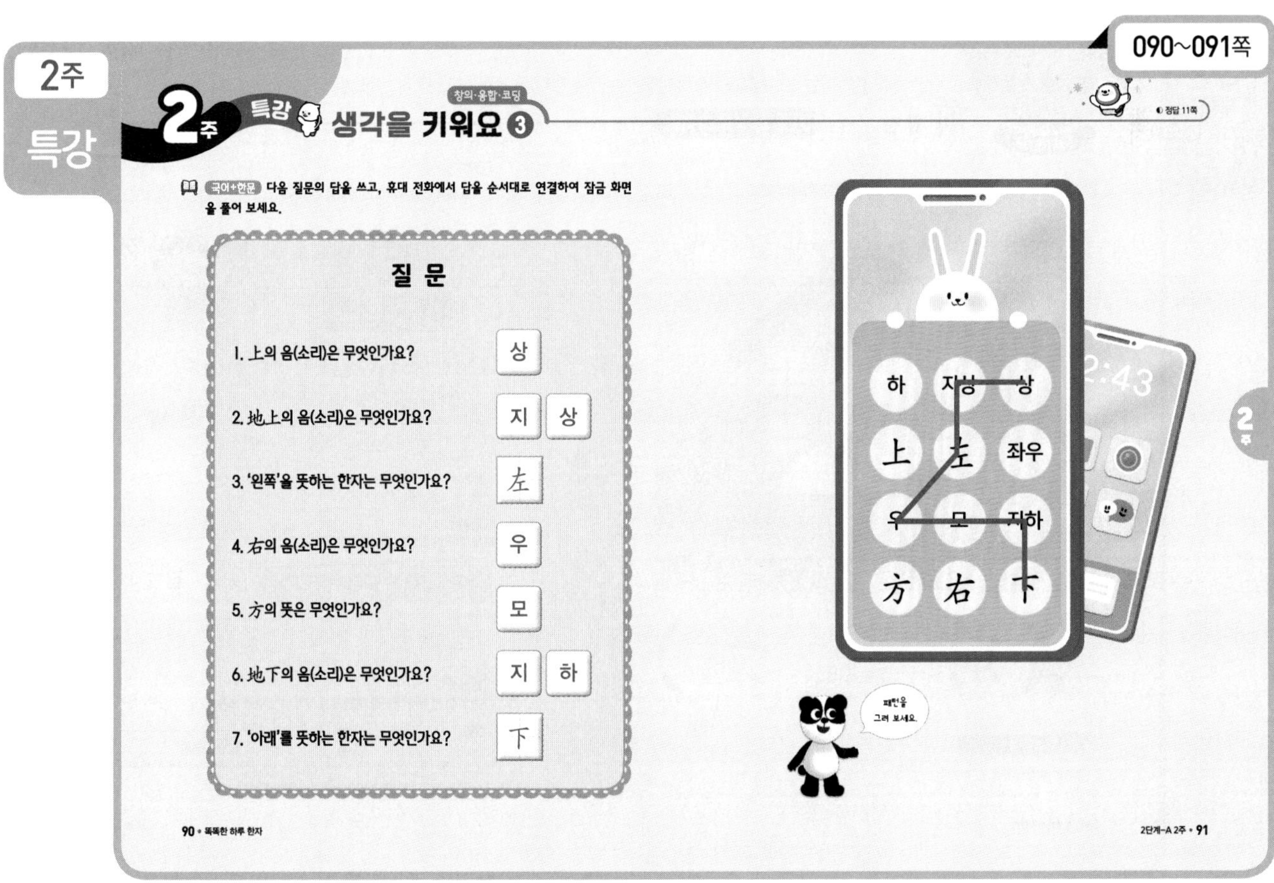
090~091쪽
2주 특강
2주 특강 생각을 키워요 ③
창의·융합·코딩
국어+한문 다음 질문의 답을 쓰고, 휴대 전화에서 답을 순서대로 연결하여 잠금 화면을 풀어 보세요.
질 문
1. 上의 음(소리)은 무엇인가요? 상
2. 地上의 음(소리)은 무엇인가요? 지 상
3. '왼쪽'을 뜻하는 한자는 무엇인가요? 左
4. 右의 음(소리)은 무엇인가요? 우
5. 方의 뜻은 무엇인가요? 모
6. 地下의 음(소리)은 무엇인가요? 지 하
7. '아래'를 뜻하는 한자는 무엇인가요? 下
하 지상 상
上 左 좌우
우 모 지하
方 右 下
패턴을 그려 보세요.
90 똑똑한 하루 한자
2단계-A 2주 91

3주 도입

094~095쪽

3주에는 무엇을 공부할까? ②
이번 주에 배울 한자들이 그림 속에 숨어 있어요. 보기를 참고하여 한자를 찾아 ○표 하세요.
보기 前 앞 전 後 뒤 후 內 안 내 外 바깥 외 中 가운데 중
外
內
後
中
前
94 • 똑똑한 하루 한자
2단계-A 3주 • 95

3주 1일

100~101쪽

1일 위치 한자
前 앞 전
기초 실력을 키워요
기초 집중 연습
1 집을 기준으로 자동차의 위치를 나타낸 한자를 찾아 색칠하세요.
(前 上 右)
아하! 이렇게 푸는구나!
자동차가 집 앞에 있다는 것이 힌트예요.
2 ○에 알맞은 글자를 넣어 낱말을 만드세요.
밥을 먹기 전
식 전
앞쪽
전 방
3 다음 밑줄 친 한자의 음(소리)을 쓰세요.
식前에 운동을 하면 밥맛이 좋아집니다. → ( 전 )
4 다음 밑줄 친 한자의 뜻을 보기에서 찾아 그 번호를 쓰세요.
보기 ① 뒤 ② 앞 ③ 오른쪽
• 이 일을 하려면 사前 작업을 철저하게 해야 합니다. → ( ② )
100 • 똑똑한 하루 한자
2단계-A 3주 • 101

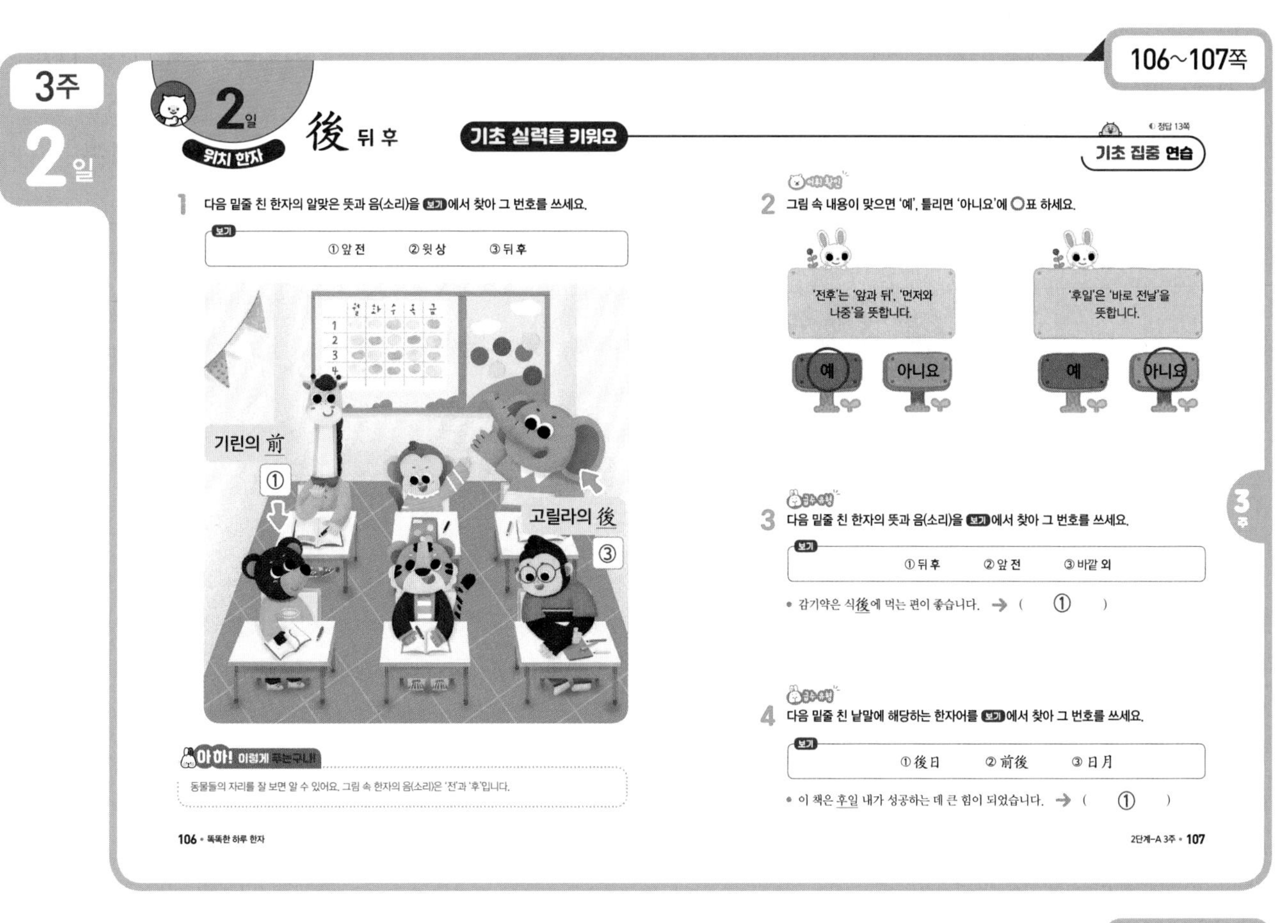

3주
2일
106~107쪽
2일
위치 한자
後 뒤 후
기초 실력을 키워요
정답 13쪽
기초 집중 연습
1 다음 밑줄 친 한자의 알맞은 뜻과 음(소리)을 보기에서 찾아 그 번호를 쓰세요.
보기 ① 앞 전 ② 윗 상 ③ 뒤 후
기린의 前
①
고릴라의 後
③
아하! 이렇게 푸는구나!
동물들의 자리를 잘 보면 알 수 있어요. 그림 속 한자의 음(소리)은 '전'과 '후'입니다.
2 그림 속 내용이 맞으면 '예', 틀리면 '아니요'에 ○표 하세요.
'전후'는 '앞과 뒤', '먼저와 나중'을 뜻합니다.
예 아니요
'후일'은 '바로 전날'을 뜻합니다.
예 아니요
3 다음 밑줄 친 한자의 뜻과 음(소리)을 보기에서 찾아 그 번호를 쓰세요.
보기 ① 뒤 후 ② 앞 전 ③ 바깥 외
• 감기약은 식後에 먹는 편이 좋습니다. → ( ① )
4 다음 밑줄 친 낱말에 해당하는 한자어를 보기에서 찾아 그 번호를 쓰세요.
보기 ① 後日 ② 前後 ③ 日月
• 이 책은 후일 내가 성공하는 데 큰 힘이 되었습니다. → ( ① )
106 • 똑똑한 하루 한자
2단계-A 3주 • 107


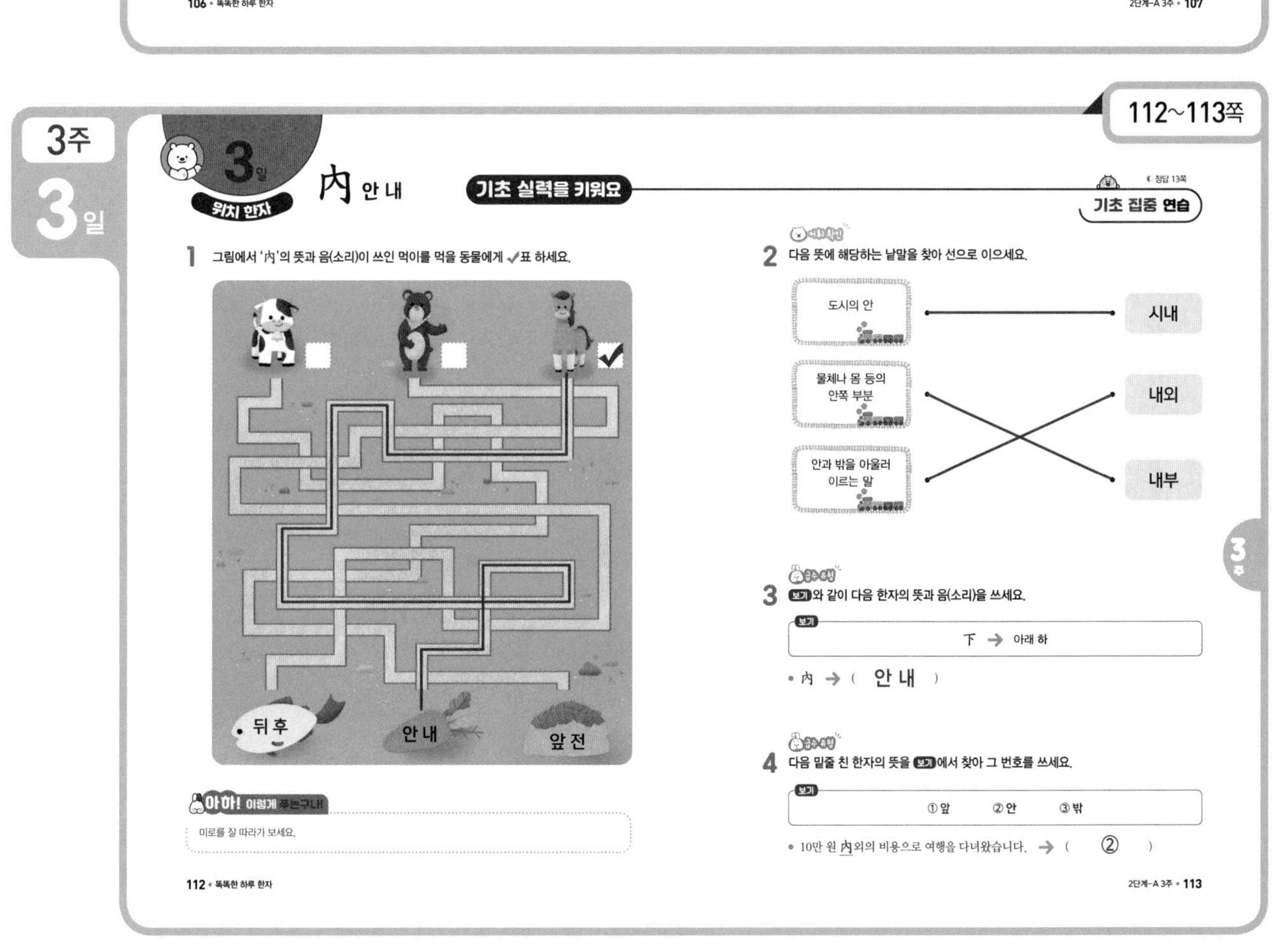

3주
3일
112~113쪽
3일
위치 한자
内 안 내
기초 실력을 키워요
정답 13쪽
기초 집중 연습
1 그림에서 '内'의 뜻과 음(소리)이 쓰인 먹이를 먹을 동물에게 ✓표 하세요.
뒤 후
안 내
앞 전
아하! 이렇게 푸는구나!
미로를 잘 따라가 보세요.
2 다음 뜻에 해당하는 낱말을 찾아 선으로 이으세요.
도시의 안
물체나 몸 등의 안쪽 부분
안과 밖을 아울러 이르는 말
시내
내외
내부
3 보기와 같이 다음 한자의 뜻과 음(소리)을 쓰세요.
보기 下 → 아래 하
• 内 → ( 안 내 )
4 다음 밑줄 친 한자의 뜻을 보기에서 찾아 그 번호를 쓰세요.
보기 ① 앞 ② 안 ③ 밖
• 10만 원 内외의 비용으로 여행을 다녀왔습니다. → ( ② )
112 • 똑똑한 하루 한자
2단계-A 3주 • 113

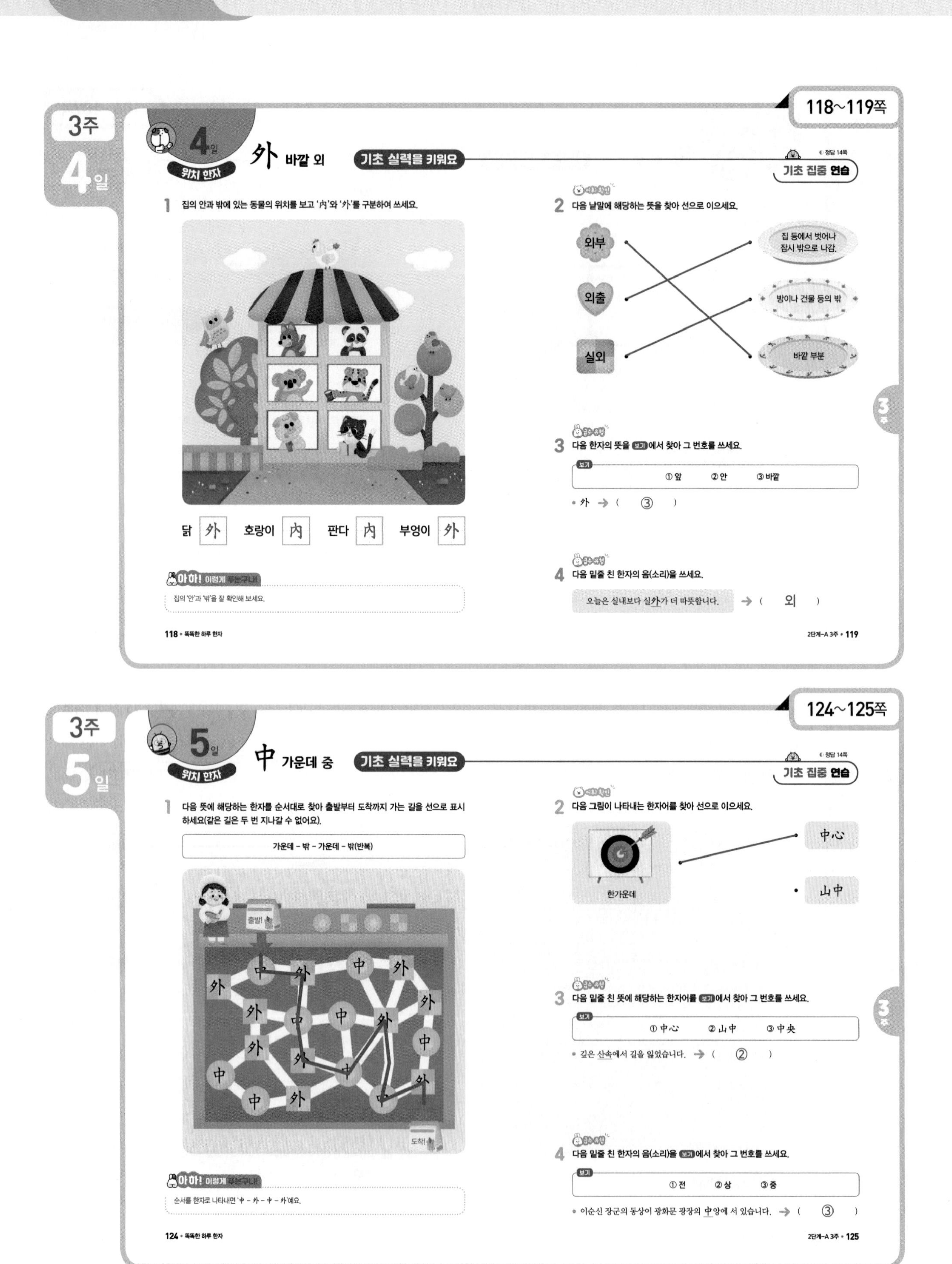

118~119쪽

3주 4일

4일 위치 한자 外 바깥 외 기초 실력을 키워요

1 집의 안과 밖에 있는 동물의 위치를 보고 '內'와 '外'를 구분하여 쓰세요.

닭 外 호랑이 內 판다 內 부엉이 外

아하! 이렇게 푸는구나!
집의 '안'과 '밖'을 잘 확인해 보세요.

118 • 똑똑한 하루 한자

기초 집중 연습

2 다음 낱말에 해당하는 뜻을 찾아 선으로 이으세요.

외부 — 바깥 부분
외출 — 집 등에서 벗어나 잠시 밖으로 나감.
실외 — 방이나 건물 등의 밖

3 다음 한자의 뜻을 보기에서 찾아 그 번호를 쓰세요.

보기 ① 앞 ② 안 ③ 바깥

• 外 → ( ③ )

4 다음 밑줄 친 한자의 음(소리)을 쓰세요.

오늘은 실내보다 실外가 더 따뜻합니다. → ( 외 )

2단계-A 3주 • 119

124~125쪽

3주 5일

5일 위치 한자 中 가운데 중 기초 실력을 키워요

1 다음 뜻에 해당하는 한자를 순서대로 찾아 출발부터 도착까지 가는 길을 선으로 표시하세요(같은 길은 두 번 지나갈 수 없어요).

가운데 - 밖 - 가운데 - 밖(반복)

출발! 도착!

아하! 이렇게 푸는구나!
순서를 한자로 나타내면 '中 - 外 - 中 - 外'예요.

124 • 똑똑한 하루 한자

기초 집중 연습

2 다음 그림이 나타내는 한자어를 찾아 선으로 이으세요.

한가운데 — 中心
山中

3 다음 밑줄 친 뜻에 해당하는 한자어를 보기에서 찾아 그 번호를 쓰세요.

보기 ① 中心 ② 山中 ③ 中央

• 깊은 산속에서 길을 잃었습니다. → ( ② )

4 다음 밑줄 친 한자의 음(소리)을 보기에서 찾아 그 번호를 쓰세요.

보기 ① 전 ② 상 ③ 중

• 이순신 장군의 동상이 광화문 광장의 中앙에 서 있습니다. → ( ③ )

2단계-A 3주 • 125

3주 TEST

126~127쪽

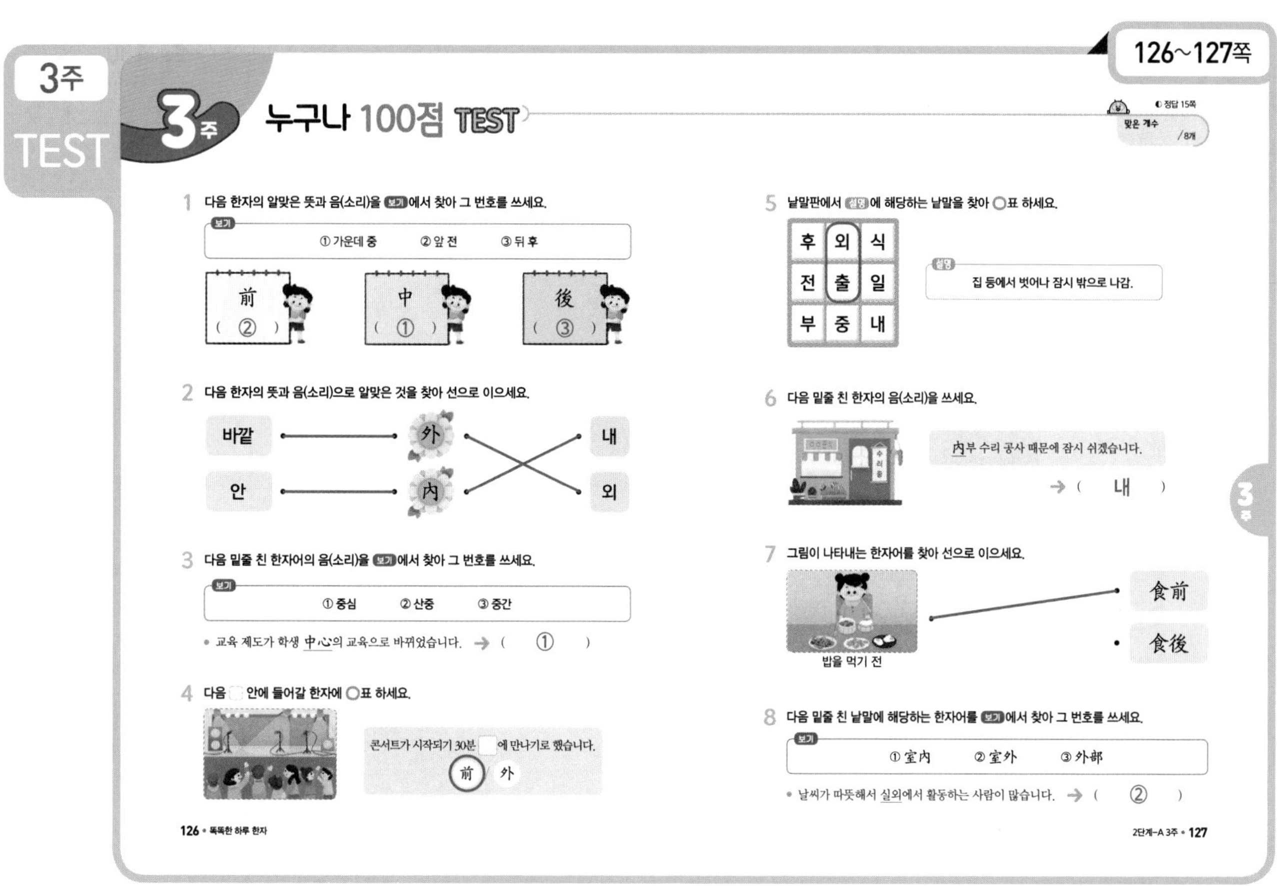

## 3주 누구나 100점 TEST

정답 15쪽

맞은 개수 /8개

1 다음 한자의 알맞은 뜻과 음(소리)을 보기에서 찾아 그 번호를 쓰세요.

보기: ① 가운데 중 ② 앞 전 ③ 뒤 후

前 ( ② ) 中 ( ① ) 後 ( ③ )

2 다음 한자의 뜻과 음(소리)으로 알맞은 것을 찾아 선으로 이으세요.

바깥 — 外 — 외
안 — 內 — 내

3 다음 밑줄 친 한자어의 음(소리)을 보기에서 찾아 그 번호를 쓰세요.

보기: ① 중심 ② 산중 ③ 중간

• 교육 제도가 학생 中心의 교육으로 바뀌었습니다. → ( ① )

4 다음 □ 안에 들어갈 한자에 ○표 하세요.

콘서트가 시작되기 30분 □에 만나기로 했습니다.

(前) 外

5 낱말판에서 설명에 해당하는 낱말을 찾아 ○표 하세요.

| 후 | 외 | 식 |
| --- | --- | --- |
| 전 | 출 | 일 |
| 부 | 중 | 내 |

설명: 집 등에서 벗어나 잠시 밖으로 나감.

6 다음 밑줄 친 한자의 음(소리)을 쓰세요.

內부 수리 공사 때문에 잠시 쉬겠습니다.

→ ( 내 )

7 그림이 나타내는 한자어를 찾아 선으로 이으세요.

밥을 먹기 전 — 食前

食後

8 다음 밑줄 친 낱말에 해당하는 한자어를 보기에서 찾아 그 번호를 쓰세요.

보기: ① 室內 ② 室外 ③ 外部

• 날씨가 따뜻해서 실외에서 활동하는 사람이 많습니다. → ( ② )

126 • 똑똑한 하루 한자

2단계-A 3주 • 127

3주 특강

128~129쪽

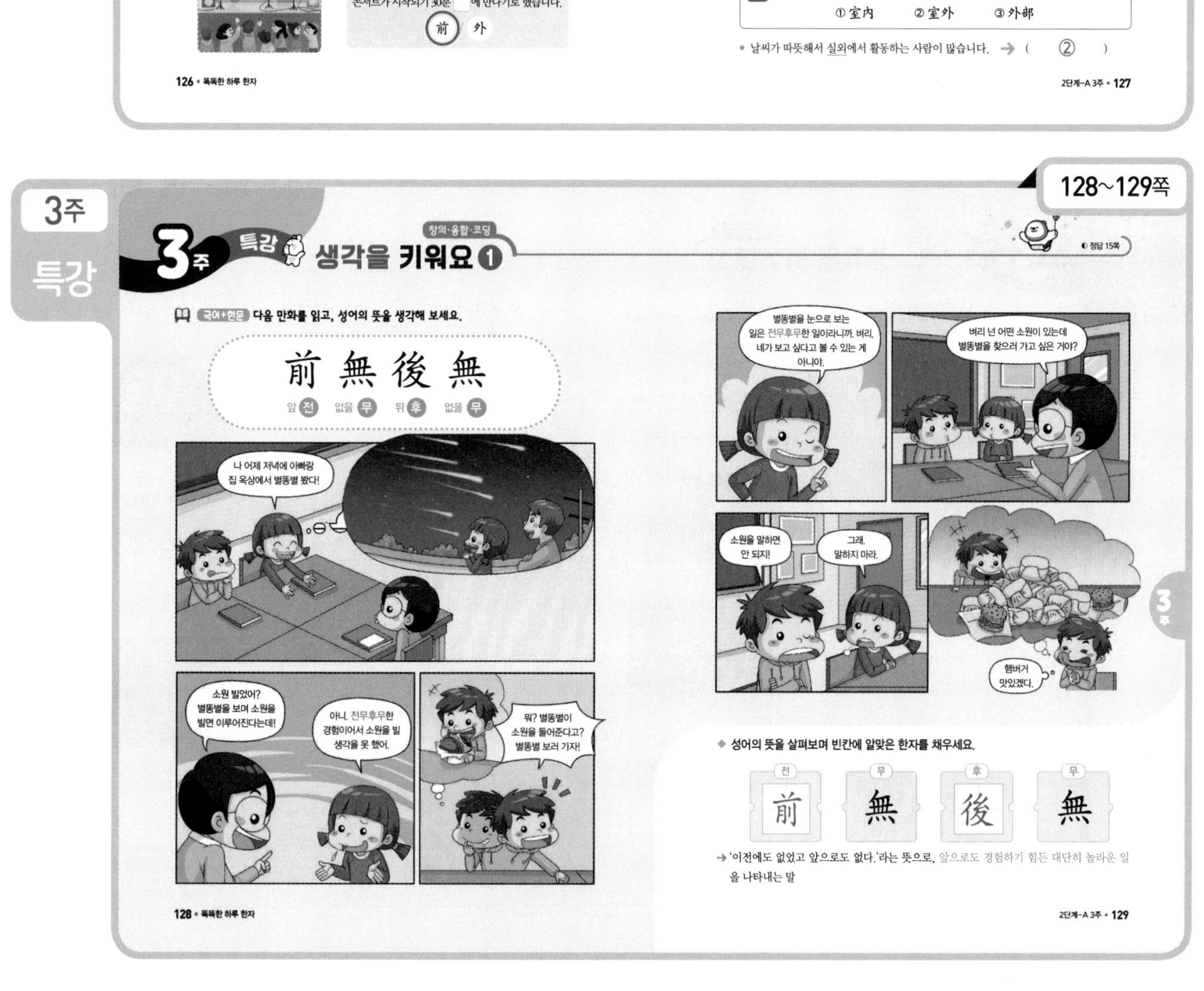

## 3주 특강 생각을 키워요 ①

창의·융합·코딩

정답 15쪽

국어+한문 다음 만화를 읽고, 성어의 뜻을 생각해 보세요.

前無後無

앞 전 없을 무 뒤 후 없을 무



◆ 성어의 뜻을 살펴보며 빈칸에 알맞은 한자를 채우세요.

전 前 무 無 후 後 무 無

→ '이전에도 없었고 앞으로도 없다.'라는 뜻으로, 앞으로도 경험하기 힘든 대단히 놀라운 일을 나타내는 말

128 • 똑똑한 하루 한자

2단계-A 3주 • 129

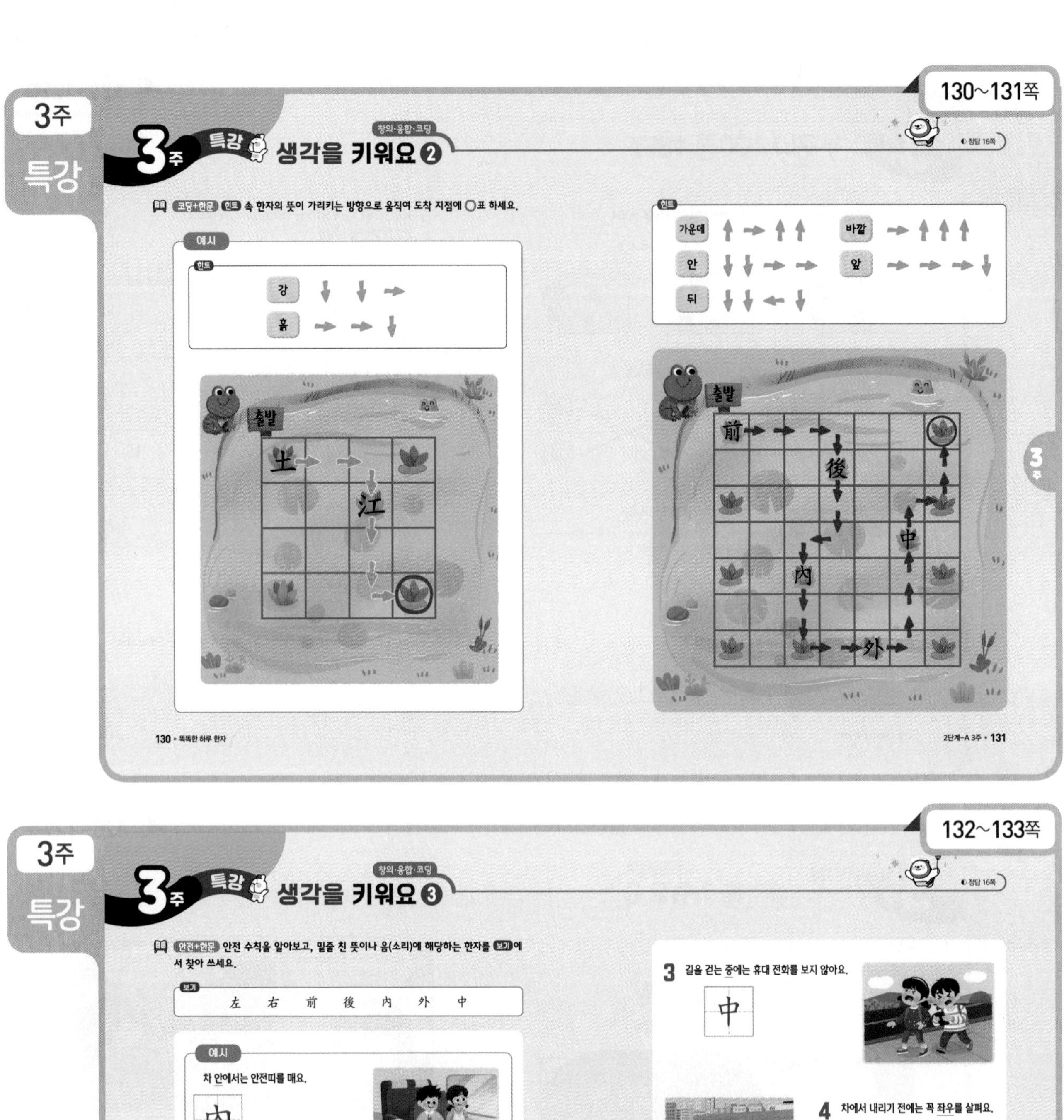
3주 특강

130~131쪽

3주 특강 생각을 키워요 ❷

창의·융합·코딩

정답 16쪽

코딩+한문 힌트 속 한자의 뜻이 가리키는 방향으로 움직여 도착 지점에 ○표 하세요.

예시

힌트

강 ↓ ↓ →

흙 → → ↓

출발

土 江

힌트

가운데 ↑ → ↑ ↑

바깥 → ↑ ↑ ↑

안 ↓ ↓ → →

앞 → → → ↓

뒤 ↓ ↓ ← ↓

출발

前 後 中 內 外

130 • 똑똑한 하루 한자

2단계-A 3주 • 131

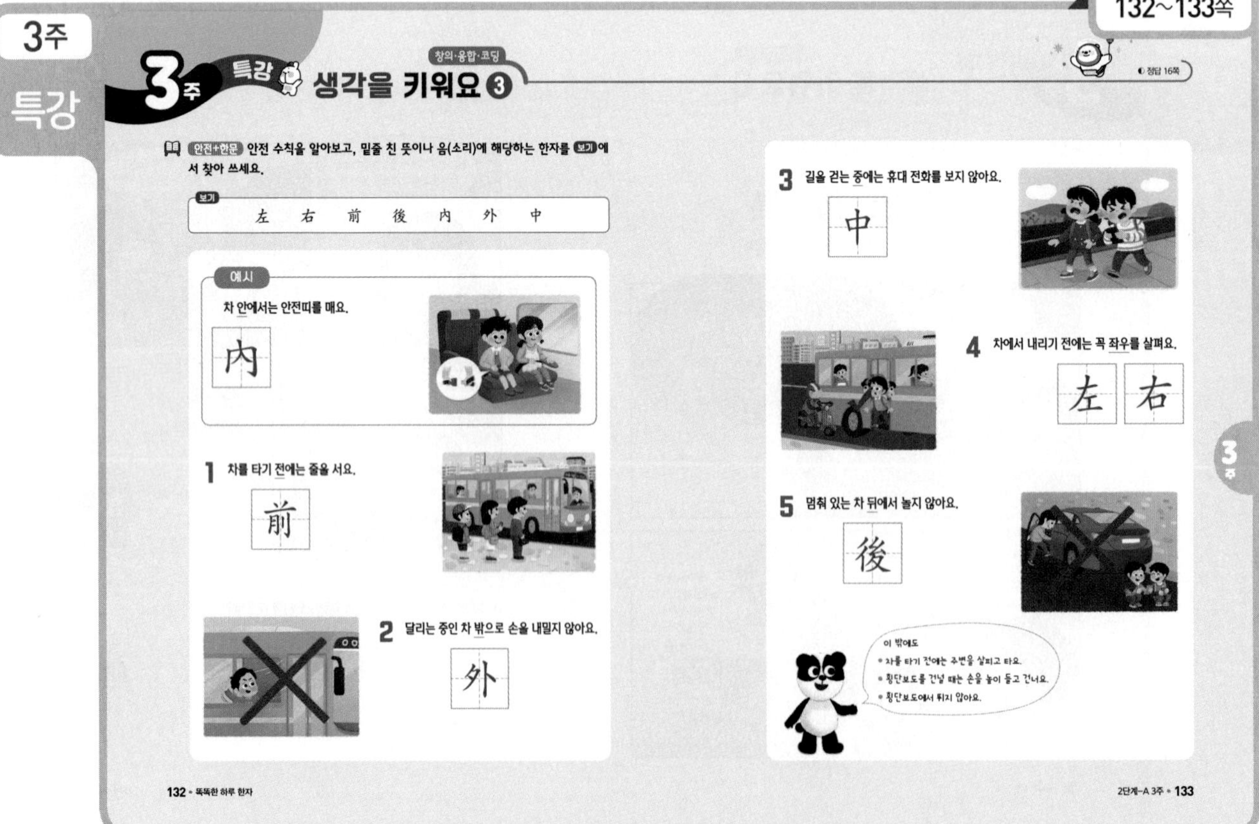
3주 특강

132~133쪽

3주 특강 생각을 키워요 ❸

창의·융합·코딩

정답 16쪽

안전+한문 안전 수칙을 알아보고, 밑줄 친 뜻이나 음(소리)에 해당하는 한자를 보기에서 찾아 쓰세요.

보기 左 右 前 後 內 外 中

예시 차 안에서는 안전띠를 매요. 內

1 차를 타기 전에는 줄을 서요. 前

2 달리는 중인 차 밖으로 손을 내밀지 않아요. 外

3 길을 걷는 중에는 휴대 전화를 보지 않아요. 中

4 차에서 내리기 전에는 꼭 좌우를 살펴요. 左 右

5 멈춰 있는 차 뒤에서 놀지 않아요. 後

132 • 똑똑한 하루 한자

2단계-A 3주 • 133

4주 도입

136~137쪽

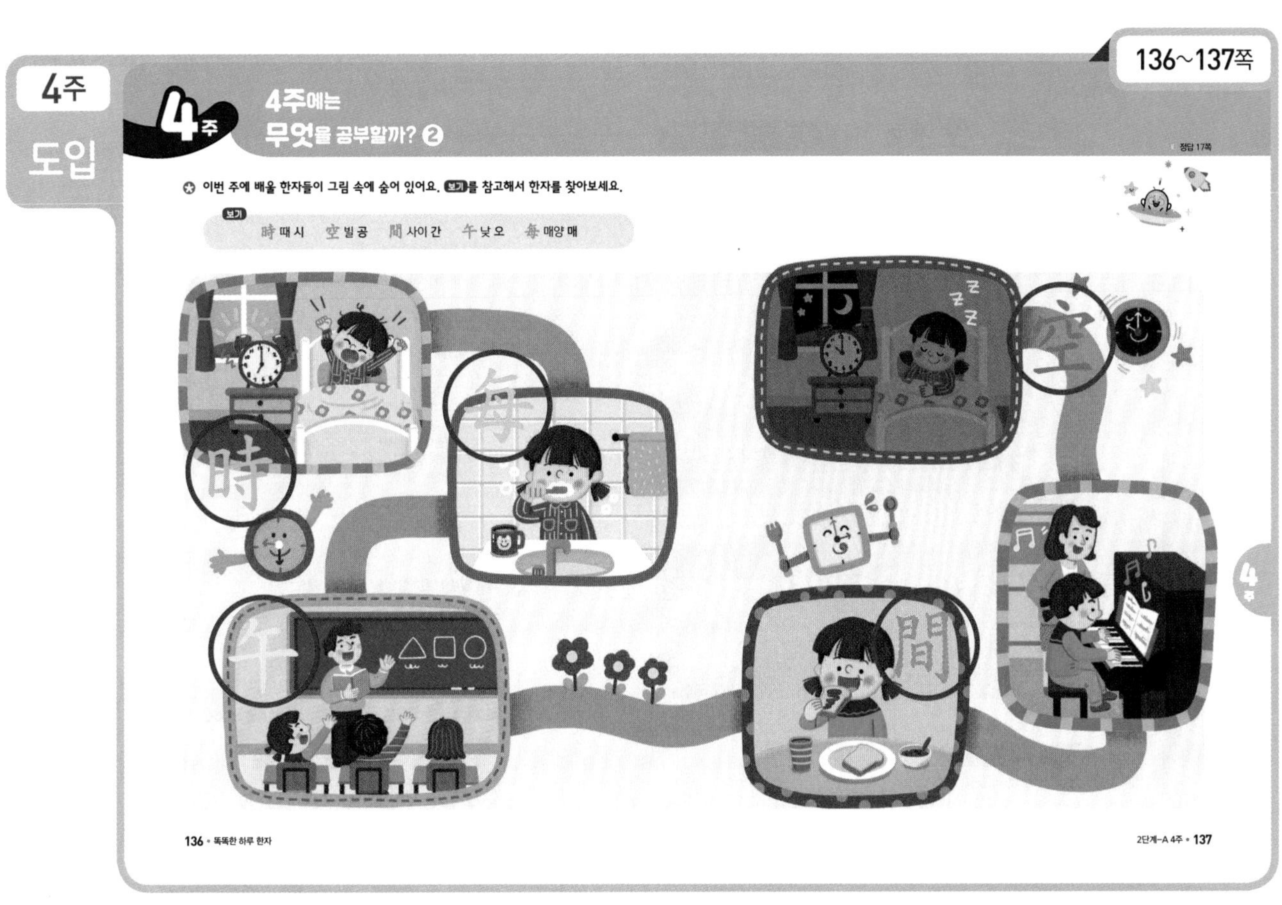

4주 4주에는 무엇을 공부할까? ②

정답 17쪽

✪ 이번 주에 배울 한자들이 그림 속에 숨어 있어요. 보기를 참고해서 한자를 찾아보세요.

보기 時 때 시 空 빌 공 間 사이 간 午 낮 오 每 매양 매



136 • 똑똑한 하루 한자

2단계-A 4주 • 137

4주 1일

142~143쪽

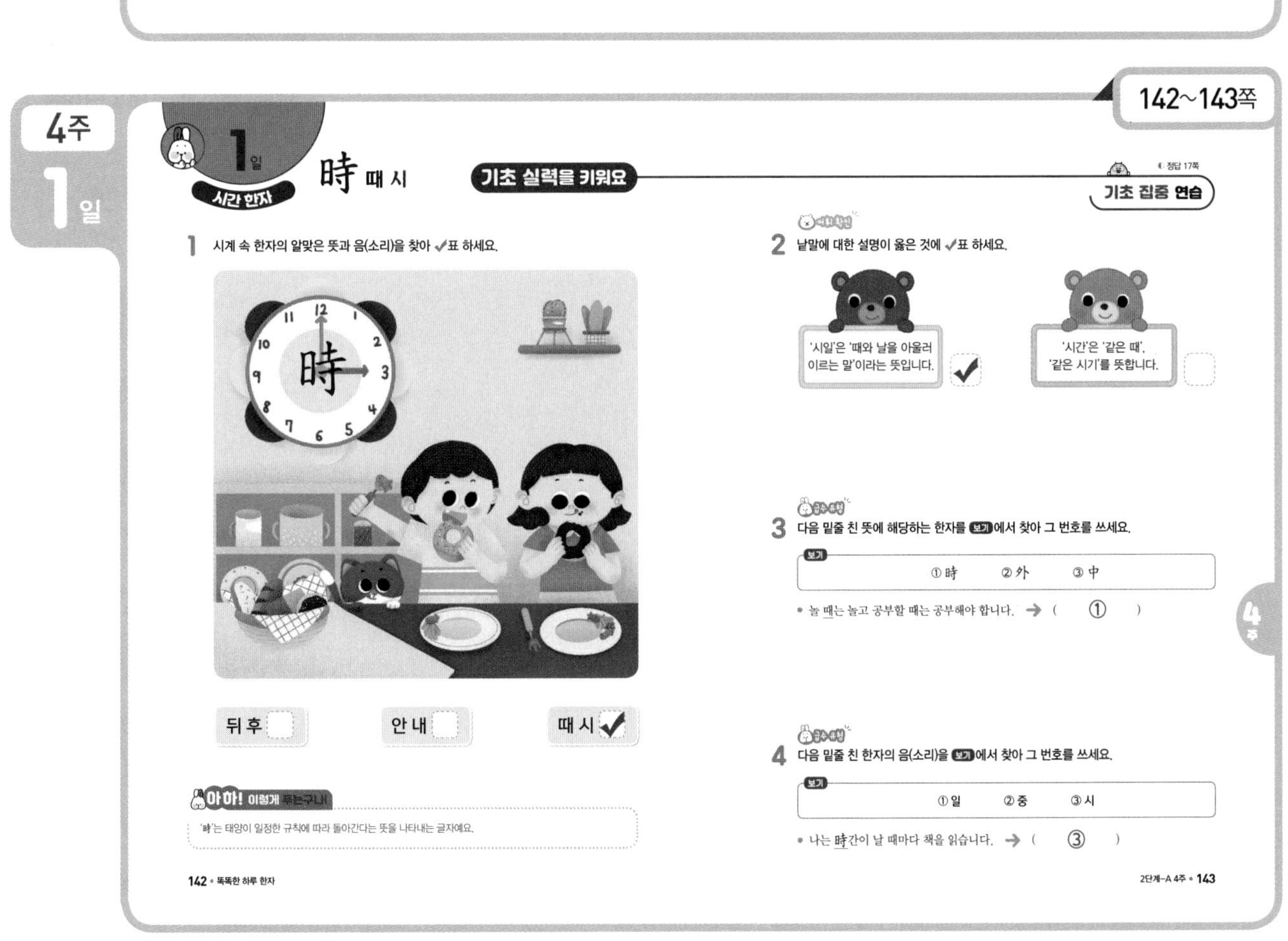

1일 시간 한자 時 때 시 기초 실력을 키워요

정답 17쪽

기초 집중 연습

1 시계 속 한자의 알맞은 뜻과 음(소리)을 찾아 ✓표 하세요.



뒤 후 ☐ 안 내 ☐ 때 시 ✓

아하! 이렇게 뜻는구나

'時'는 태양이 일정한 규칙에 따라 돌아간다는 뜻을 나타내는 글자예요.

2 낱말에 대한 설명이 옳은 것에 ✓표 하세요.

'시일'은 '때와 날을 아울러 이르는 말'이라는 뜻입니다. ✓

'시간'은 '같은 때', '같은 시기'를 뜻합니다. ☐

3 다음 밑줄 친 뜻에 해당하는 한자를 보기에서 찾아 그 번호를 쓰세요.

보기 ① 時 ② 外 ③ 中

• 놀 때는 놀고 공부할 때는 공부해야 합니다. → ( ① )

4 다음 밑줄 친 한자의 음(소리)을 보기에서 찾아 그 번호를 쓰세요.

보기 ① 일 ② 중 ③ 시

• 나는 時간이 날 때마다 책을 읽습니다. → ( ③ )

142 • 똑똑한 하루 한자

2단계-A 4주 • 143

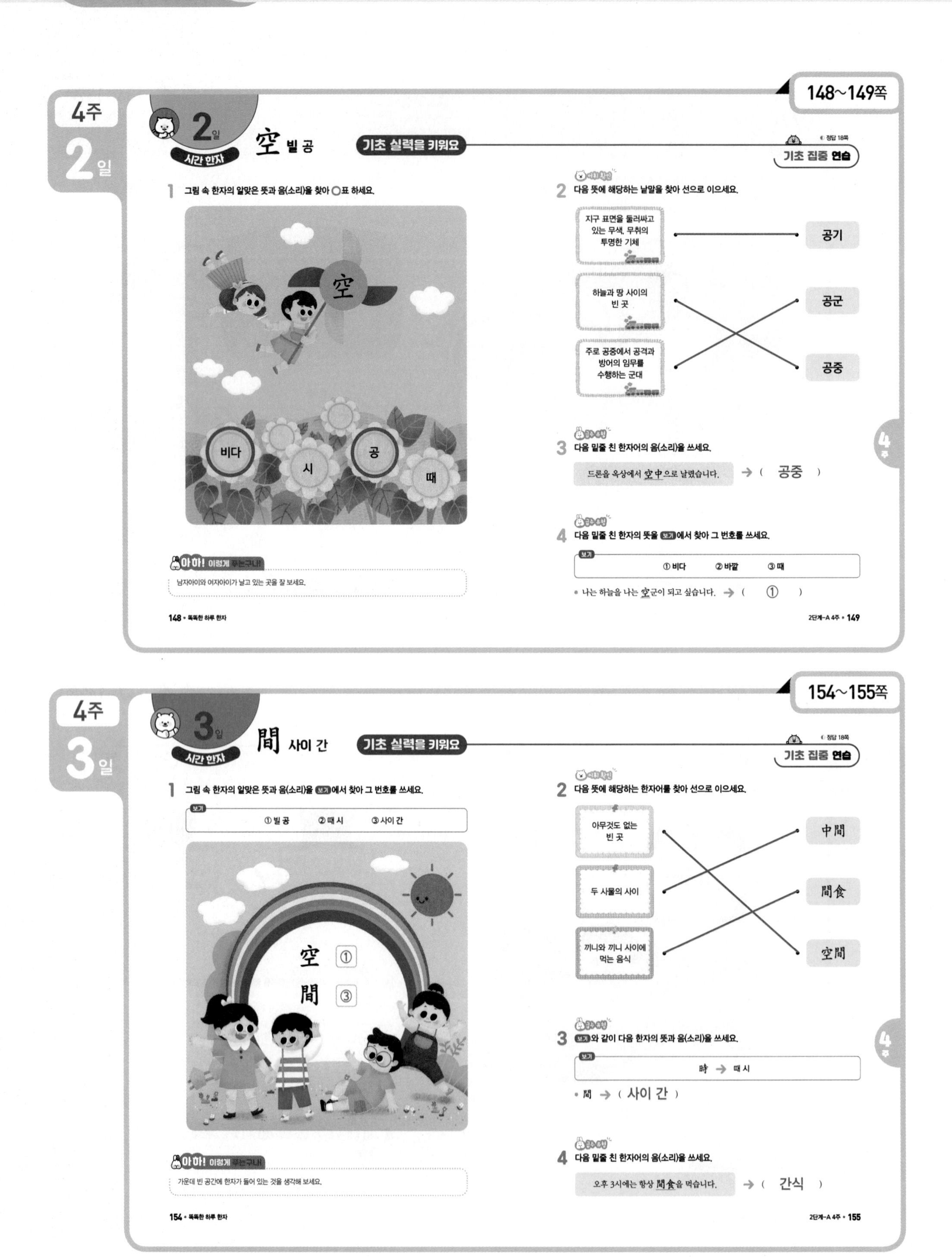

148~149쪽

4주 2일

2일 시간 한자

空 빌 공

기초 실력을 키워요

기초 집중 연습

1 그림 속 한자의 알맞은 뜻과 음(소리)을 찾아 ○표 하세요.

空

비다 시 공 때

아하! 이렇게 푸는구나!

남자아이와 여자아이가 날고 있는 곳을 잘 보세요.

2 다음 뜻에 해당하는 낱말을 찾아 선으로 이으세요.

지구 표면을 둘러싸고 있는 무색, 무취의 투명한 기체 — 공기

하늘과 땅 사이의 빈 곳 — 공중

주로 공중에서 공격과 방어의 임무를 수행하는 군대 — 공군

3 다음 밑줄 친 한자어의 음(소리)을 쓰세요.

드론을 옥상에서 空中으로 날렸습니다. → ( 공중 )

4 다음 밑줄 친 한자의 뜻을 보기에서 찾아 그 번호를 쓰세요.

보기 ① 비다 ② 바깥 ③ 때

• 나는 하늘을 나는 空군이 되고 싶습니다. → ( ① )

148 • 똑똑한 하루 한자

2단계-A 4주 • 149

154~155쪽

4주 3일

3일 시간 한자

間 사이 간

기초 실력을 키워요

기초 집중 연습

1 그림 속 한자의 알맞은 뜻과 음(소리)을 보기에서 찾아 그 번호를 쓰세요.

보기 ① 빌 공 ② 때 시 ③ 사이 간

空 ①

間 ③

아하! 이렇게 푸는구나!

가운데 빈 공간에 한자가 들어 있는 것을 생각해 보세요.

2 다음 뜻에 해당하는 한자어를 찾아 선으로 이으세요.

아무것도 없는 빈 곳 — 空間

두 사물의 사이 — 中間

끼니와 끼니 사이에 먹는 음식 — 間食

3 보기와 같이 다음 한자의 뜻과 음(소리)을 쓰세요.

보기 時 → 때 시

• 間 → ( 사이 간 )

4 다음 밑줄 친 한자어의 음(소리)을 쓰세요.

오후 3시에는 항상 間食을 먹습니다. → ( 간식 )

154 • 똑똑한 하루 한자

2단계-A 4주 • 155

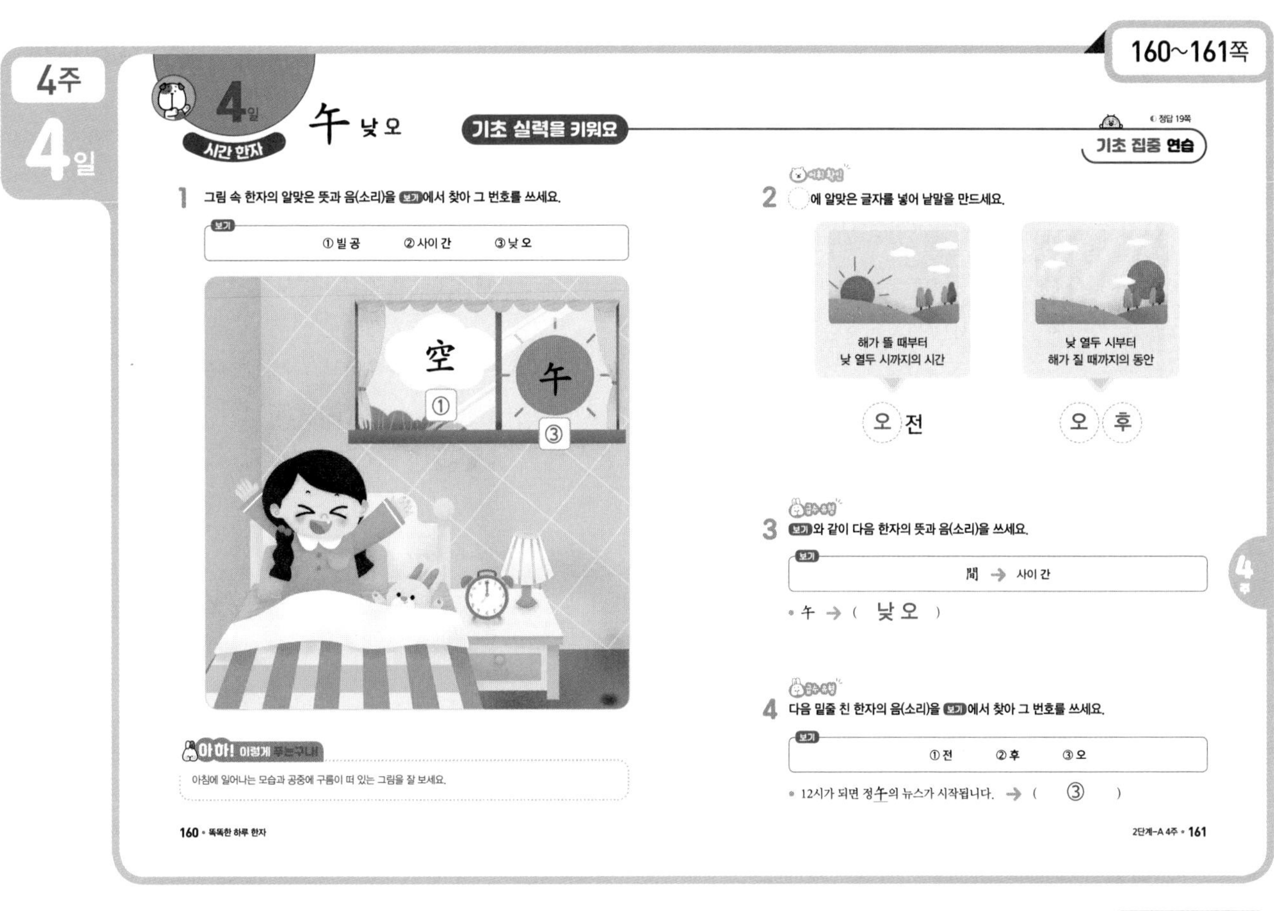
160~161쪽
4주
4일
4일
시간 한자
午 낮 오
기초 실력을 키워요
기초 집중 연습
1 그림 속 한자의 알맞은 뜻과 음(소리)을 보기에서 찾아 그 번호를 쓰세요.
보기 ① 빌 공 ② 사이 간 ③ 낮 오
空
①
午
③
아하! 이렇게 푸는구나!
아침에 일어나는 모습과 공중에 구름이 떠 있는 그림을 잘 보세요.
2 ( )에 알맞은 글자를 넣어 낱말을 만드세요.
해가 뜰 때부터 낮 열두 시까지의 시간
낮 열두 시부터 해가 질 때까지의 동안
오 전
오 후
3 보기와 같이 다음 한자의 뜻과 음(소리)을 쓰세요.
보기 間 → 사이 간
• 午 → ( 낮 오 )
4 다음 밑줄 친 한자의 음(소리)을 보기에서 찾아 그 번호를 쓰세요.
보기 ① 전 ② 후 ③ 오
• 12시가 되면 정午의 뉴스가 시작됩니다. → ( ③ )
160 • 똑똑한 하루 한자
2단계-A 4주 • 161

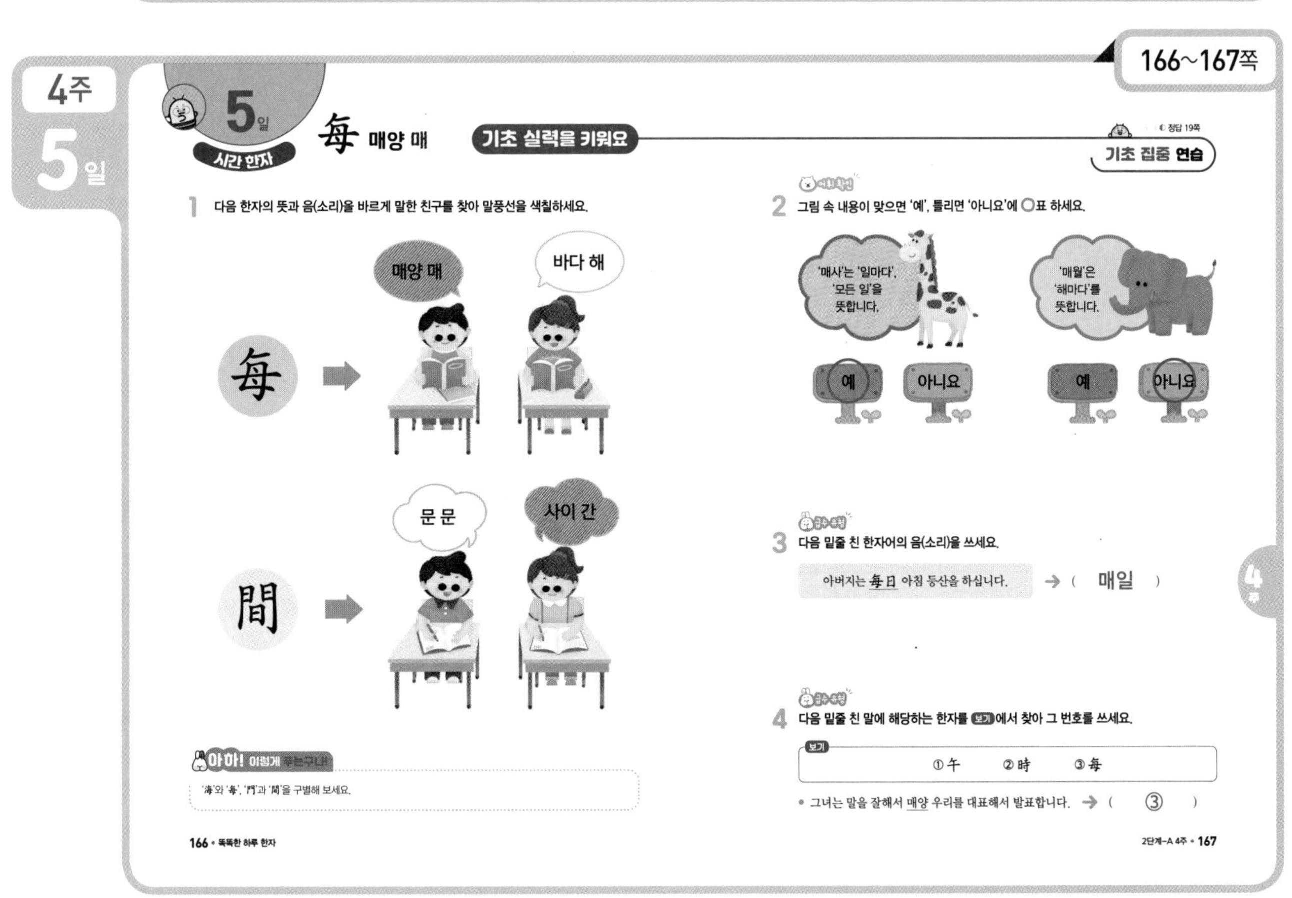
166~167쪽
4주
5일
5일
시간 한자
每 매양 매
기초 실력을 키워요
기초 집중 연습
1 다음 한자의 뜻과 음(소리)을 바르게 말한 친구를 찾아 말풍선을 색칠하세요.
매양 매
바다 해
每
문 문
사이 간
間
아하! 이렇게 푸는구나!
'每'와 '海', '門'과 '間'을 구별해 보세요.
2 그림 속 내용이 맞으면 '예', 틀리면 '아니요'에 ○표 하세요.
'매사'는 '일마다', '모든 일'을 뜻합니다.
'매월'은 '해마다'를 뜻합니다.
예
아니요
예
아니요
3 다음 밑줄 친 한자어의 음(소리)을 쓰세요.
아버지는 每日 아침 등산을 하십니다. → ( 매일 )
4 다음 밑줄 친 말에 해당하는 한자를 보기에서 찾아 그 번호를 쓰세요.
보기 ① 午 ② 時 ③ 每
• 그녀는 말을 잘해서 매양 우리를 대표해서 발표합니다. → ( ③ )
166 • 똑똑한 하루 한자
2단계-A 4주 • 167

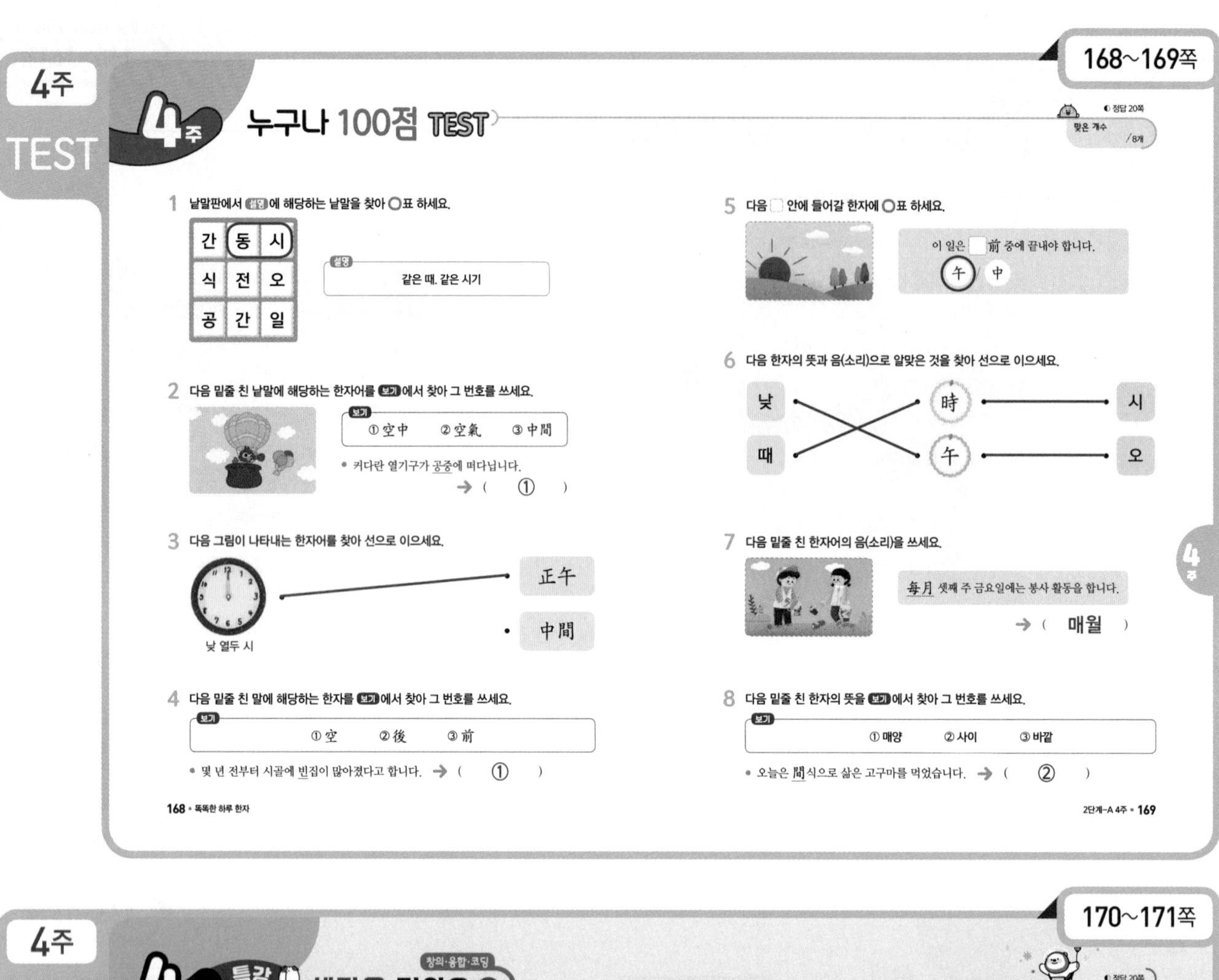

168~169쪽

4주 TEST

4주 누구나 100점 TEST

정답 20쪽 맞은 개수 /8개

1 낱말판에서 설명에 해당하는 낱말을 찾아 ○표 하세요.

| 간 | 동 | 시 |
|---|---|---|
| 식 | 전 | 오 |
| 공 | 간 | 일 |

설명: 같은 때. 같은 시기

2 다음 밑줄 친 낱말에 해당하는 한자어를 보기에서 찾아 그 번호를 쓰세요.

보기: ① 空中 ② 空氣 ③ 中間

• 커다란 열기구가 공중에 떠다닙니다. → ( ① )

3 다음 그림이 나타내는 한자어를 찾아 선으로 이으세요.

낮 열두 시 — 正午

中間

4 다음 밑줄 친 말에 해당하는 한자를 보기에서 찾아 그 번호를 쓰세요.

보기: ① 空 ② 後 ③ 前

• 몇 년 전부터 시골에 빈집이 많아졌다고 합니다. → ( ① )

5 다음 □ 안에 들어갈 한자에 ○표 하세요.

이 일은 □前 중에 끝내야 합니다.

午 中

6 다음 한자의 뜻과 음(소리)으로 알맞은 것을 찾아 선으로 이으세요.

낮 — 午 — 오

때 — 時 — 시

7 다음 밑줄 친 한자어의 음(소리)을 쓰세요.

每月 셋째 주 금요일에는 봉사 활동을 합니다. → ( 매월 )

8 다음 밑줄 친 한자의 뜻을 보기에서 찾아 그 번호를 쓰세요.

보기: ① 매양 ② 사이 ③ 바깥

• 오늘은 間식으로 삶은 고구마를 먹었습니다. → ( ② )

168 • 똑똑한 하루 한자 2단계-A 4주 • 169

170~171쪽

4주 특강

4주 특강 창의·융합·코딩 생각을 키워요 1

정답 20쪽

국어+한문 다음 만화를 읽고, 성어의 뜻을 생각해 보세요.

今時初聞

이제 금 때 시 처음 초 들을 문



◆ 성어의 뜻을 살펴보며 빈칸에 알맞은 한자를 채우세요.

| 금 | 시 | 초 | 문 |
|---|---|---|---|
| 今 | 時 | 初 | 聞 |

→ '바로 지금 처음으로 들음.'이라는 뜻으로, 어떤 사실에 대해 처음 듣는 상황을 이르는 말. '時' 대신 '始(비로소 시)'를 사용하기도 함.

170 • 똑똑한 하루 한자 2단계-A 4주 • 171

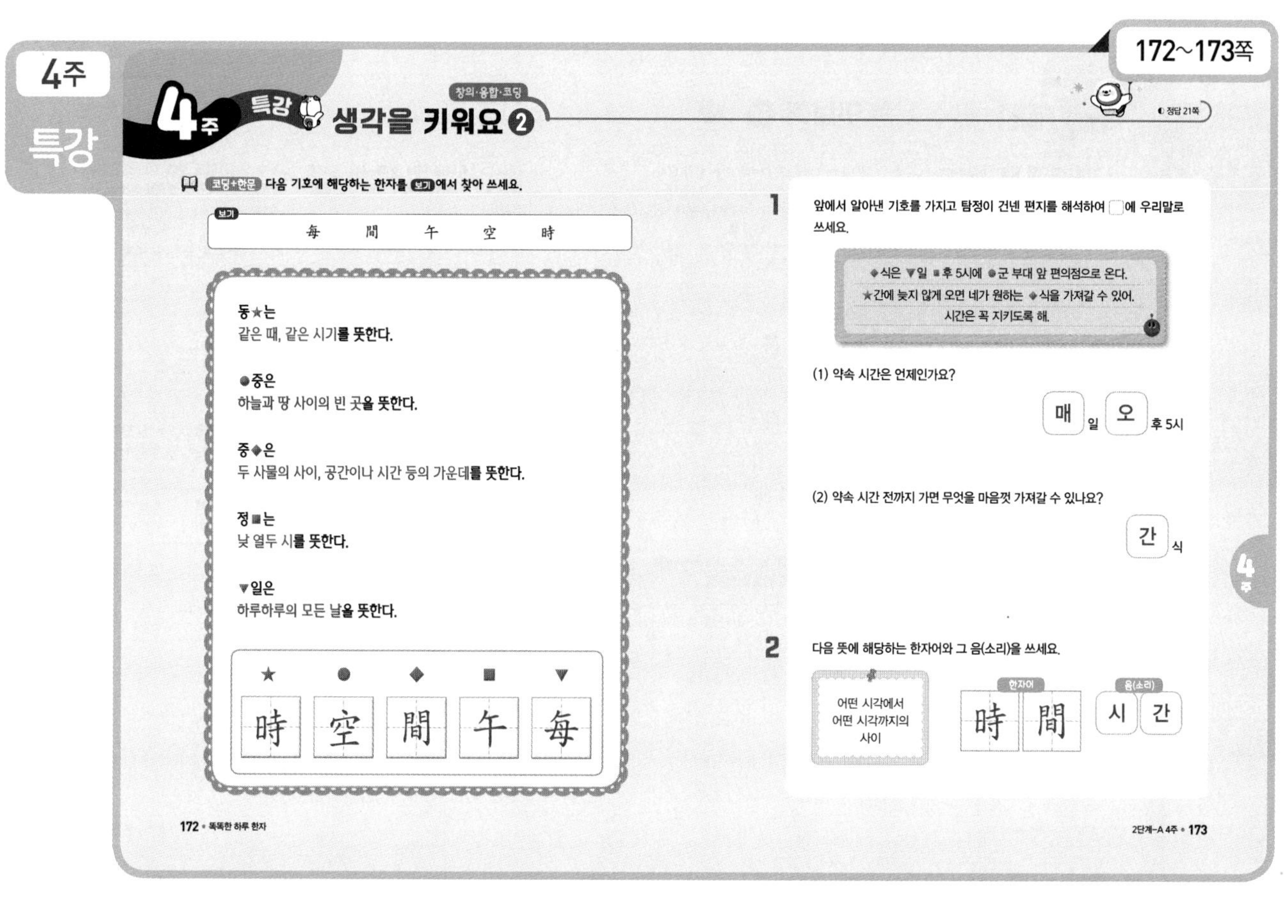
4주 특강

172~173쪽

4주 특강 생각을 키워요 ❷ 창의·융합·코딩

정답 21쪽

코딩+한문 다음 기호에 해당하는 한자를 보기에서 찾아 쓰세요.

보기: 每 間 午 空 時

동★는
같은 때, 같은 시기를 뜻한다.

●중은
하늘과 땅 사이의 빈 곳을 뜻한다.

중◆은
두 사물의 사이, 공간이나 시간 등의 가운데를 뜻한다.

정■는
낮 열두 시를 뜻한다.

▼일은
하루하루의 모든 날을 뜻한다.

| ★ | ● | ◆ | ■ | ▼ |
|---|---|---|---|---|
| 時 | 空 | 間 | 午 | 每 |

1 앞에서 알아낸 기호를 가지고 탐정이 건넨 편지를 해석하여 □에 우리말로 쓰세요.

◆식은 ▼일 ■후 5시에 ●군 부대 앞 편의점으로 온다.
★간에 늦지 않게 오면 네가 원하는 ◆식을 가져갈 수 있어.
시간은 꼭 지키도록 해.

(1) 약속 시간은 언제인가요?

매 일 오 후 5시

(2) 약속 시간 전까지 가면 무엇을 마음껏 가져갈 수 있나요?

간 식

2 다음 뜻에 해당하는 한자어와 그 음(소리)을 쓰세요.

어떤 시각에서 어떤 시각까지의 사이

한자어: 時 間 음(소리): 시 간

172 • 똑똑한 하루 한자

2단계-A 4주 • 173

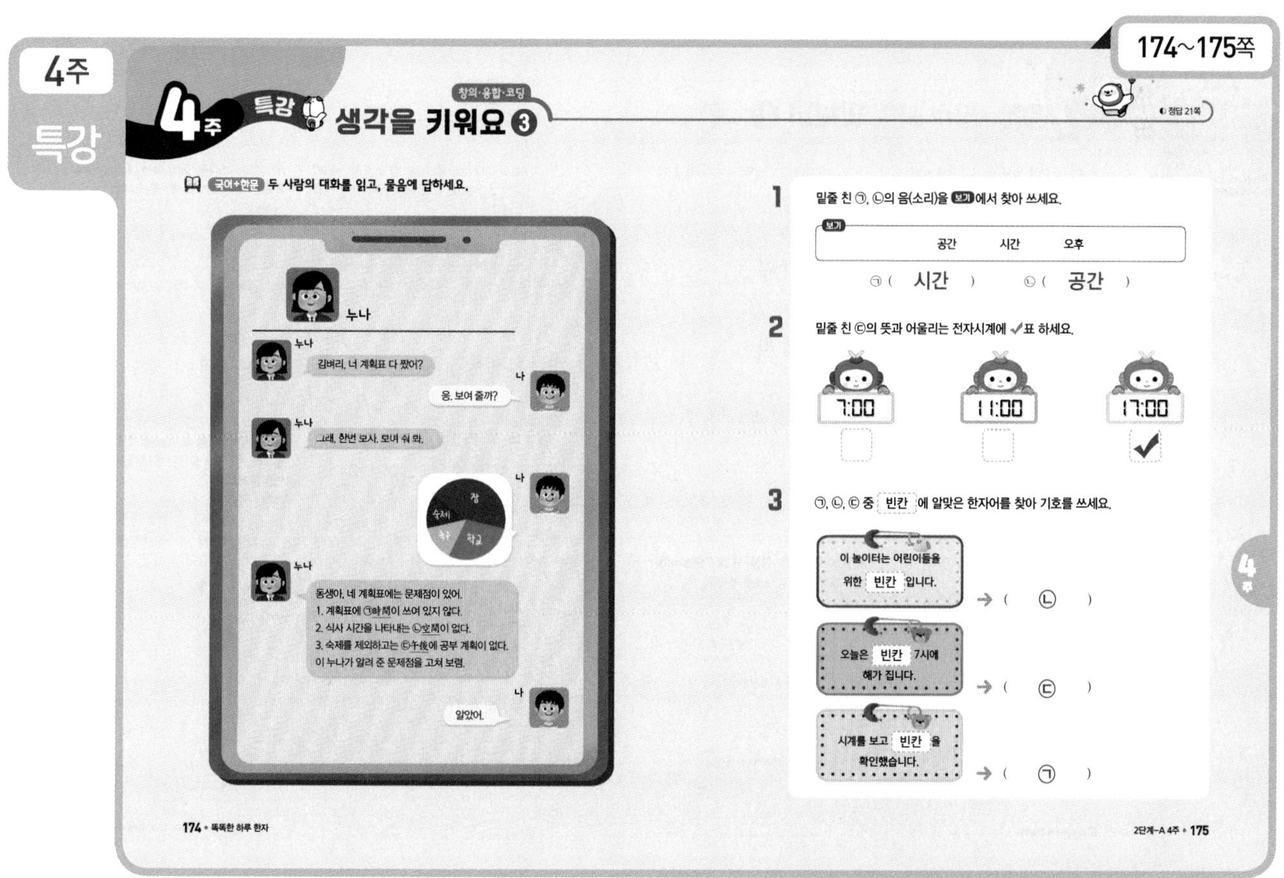
4주 특강

174~175쪽

4주 특강 생각을 키워요 ❸ 창의·융합·코딩

정답 21쪽

국어+한문 두 사람의 대화를 읽고, 물음에 답하세요.


누나
누나: 김바리, 너 계획표 다 짰어?
나: 응, 보여 줄까?
누나: 그래, 찬번 모사. 모여 줘 봐.
잠
숙제
학교
누나: 동생아, 네 계획표에는 문제점이 있어.
1. 계획표에 ㉠時間이 쓰여 있지 않다.
2. 식사 시간을 나타내는 ㉡空間이 없다.
3. 숙제를 제외하고는 ㉢午後에 공부 계획이 없다.
이 누나가 알려 준 문제점을 고쳐 보렴.
나: 알았어.


1 밑줄 친 ㉠, ㉡의 음(소리)을 보기에서 찾아 쓰세요.

보기: 공간 시간 오후

㉠ ( 시간 ) ㉡ ( 공간 )

2 밑줄 친 ㉢의 뜻과 어울리는 전자시계에 ✓표 하세요.

7:00 ☐ 11:00 ☐ 17:00 ✓

3 ㉠, ㉡, ㉢ 중 빈칸 에 알맞은 한자어를 찾아 기호를 쓰세요.

이 놀이터는 어린이들을 위한 빈칸 입니다. → ( ㉡ )

오늘은 빈칸 7시에 해가 집니다. → ( ㉢ )

시계를 보고 빈칸 을 확인했습니다. → ( ㉠ )

174 • 똑똑한 하루 한자

2단계-A 4주 • 175

# 정답

7급 급수 시험

176~177쪽

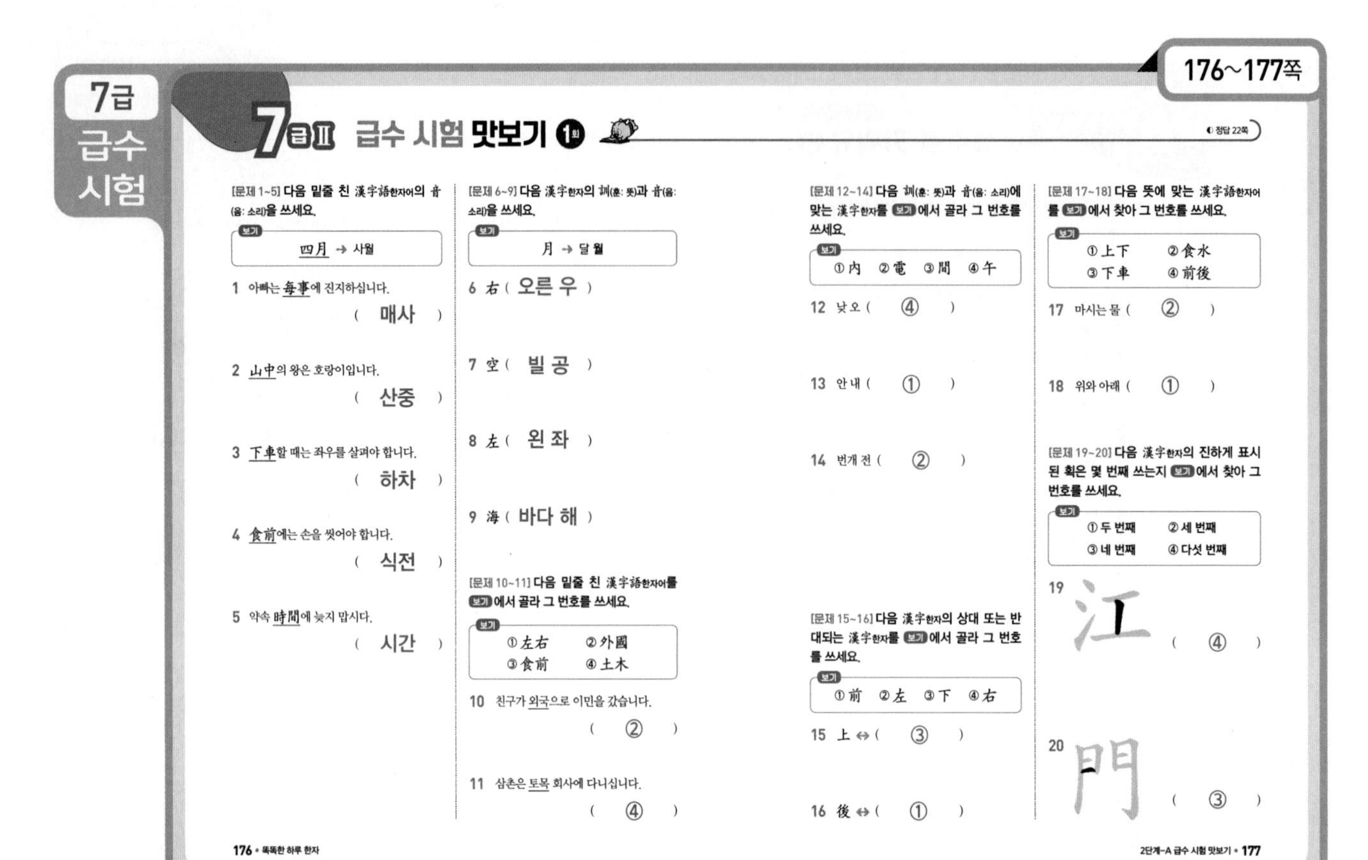

## 7급Ⅱ 급수 시험 맛보기 1회

◐ 정답 22쪽

[문제 1~5] 다음 밑줄 친 漢字語한자어의 音(음: 소리)을 쓰세요.

보기: 四月 → 사월

1 아빠는 每事에 진지하십니다. ( 매사 )

2 山中의 왕은 호랑이입니다. ( 산중 )

3 下車할 때는 좌우를 살펴야 합니다. ( 하차 )

4 食前에는 손을 씻어야 합니다. ( 식전 )

5 약속 時間에 늦지 맙시다. ( 시간 )

[문제 6~9] 다음 漢字한자의 訓(훈: 뜻)과 音(음: 소리)을 쓰세요.

보기: 月 → 달 월

6 右 ( 오른 우 )

7 空 ( 빌 공 )

8 左 ( 왼 좌 )

9 海 ( 바다 해 )

[문제 10~11] 다음 밑줄 친 漢字語한자어를 보기에서 골라 그 번호를 쓰세요.

보기: ①左右 ②外國 ③食前 ④土木

10 친구가 외국으로 이민을 갔습니다. ( ② )

11 삼촌은 토목 회사에 다니십니다. ( ④ )

[문제 12~14] 다음 訓(훈: 뜻)과 音(음: 소리)에 맞는 漢字한자를 보기에서 골라 그 번호를 쓰세요.

보기: ①內 ②電 ③間 ④午

12 낮 오 ( ④ )

13 안 내 ( ① )

14 번개 전 ( ② )

[문제 15~16] 다음 漢字한자의 상대 또는 반대되는 漢字한자를 보기에서 골라 그 번호를 쓰세요.

보기: ①前 ②左 ③下 ④右

15 上 ↔ ( ③ )

16 後 ↔ ( ① )

[문제 17~18] 다음 뜻에 맞는 漢字語한자어를 보기에서 찾아 그 번호를 쓰세요.

보기: ①上下 ②食水 ③下車 ④前後

17 마시는 물 ( ② )

18 위와 아래 ( ① )

[문제 19~20] 다음 漢字한자의 진하게 표시된 획은 몇 번째 쓰는지 보기에서 찾아 그 번호를 쓰세요.

보기: ①두 번째 ②세 번째 ③네 번째 ④다섯 번째

19 江 ( ④ )

20 門 ( ③ )

176 • 똑똑한 하루 한자 / 2단계-A 급수 시험 맛보기 • 177

7급 급수 시험

178~179쪽

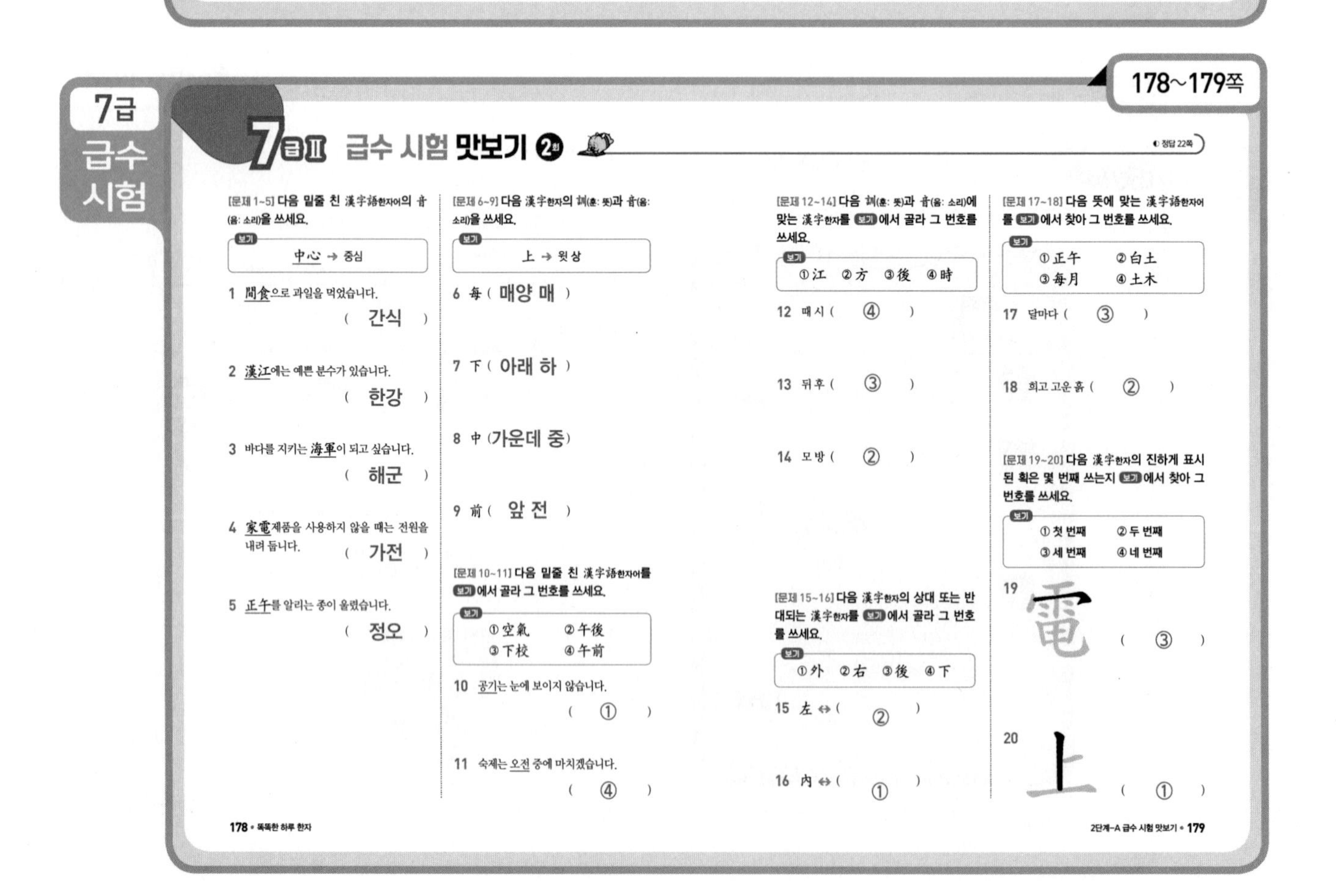

## 7급Ⅱ 급수 시험 맛보기 2회

◐ 정답 22쪽

[문제 1~5] 다음 밑줄 친 漢字語한자어의 音(음: 소리)을 쓰세요.

보기: 中心 → 중심

1 間食으로 과일을 먹었습니다. ( 간식 )

2 漢江에는 예쁜 분수가 있습니다. ( 한강 )

3 바다를 지키는 海軍이 되고 싶습니다. ( 해군 )

4 家電제품을 사용하지 않을 때는 전원을 내려 둡니다. ( 가전 )

5 正午를 알리는 종이 울렸습니다. ( 정오 )

[문제 6~9] 다음 漢字한자의 訓(훈: 뜻)과 音(음: 소리)을 쓰세요.

보기: 上 → 윗 상

6 每 ( 매양 매 )

7 下 ( 아래 하 )

8 中 ( 가운데 중 )

9 前 ( 앞 전 )

[문제 10~11] 다음 밑줄 친 漢字語한자어를 보기에서 골라 그 번호를 쓰세요.

보기: ①空氣 ②午後 ③下校 ④午前

10 공기는 눈에 보이지 않습니다. ( ① )

11 숙제는 오전 중에 마치겠습니다. ( ④ )

[문제 12~14] 다음 訓(훈: 뜻)과 音(음: 소리)에 맞는 漢字한자를 보기에서 골라 그 번호를 쓰세요.

보기: ①江 ②方 ③後 ④時

12 때 시 ( ④ )

13 뒤 후 ( ③ )

14 모 방 ( ② )

[문제 15~16] 다음 漢字한자의 상대 또는 반대되는 漢字한자를 보기에서 골라 그 번호를 쓰세요.

보기: ①外 ②右 ③後 ④下

15 左 ↔ ( ② )

16 內 ↔ ( ① )

[문제 17~18] 다음 뜻에 맞는 漢字語한자어를 보기에서 찾아 그 번호를 쓰세요.

보기: ①正午 ②白土 ③每月 ④土木

17 달마다 ( ③ )

18 희고 고운 흙 ( ② )

[문제 19~20] 다음 漢字한자의 진하게 표시된 획은 몇 번째 쓰는지 보기에서 찾아 그 번호를 쓰세요.

보기: ①첫 번째 ②두 번째 ③세 번째 ④네 번째

19 電 ( ③ )

20 上 ( ① )

178 • 똑똑한 하루 한자 / 2단계-A 급수 시험 맛보기 • 179

memo

memo

(사)한자교육진흥회 주관

# 국가공인 한자자격시험 교재

한자자격시험은 기초 한자와 교과서 한자어를 함께 평가하여 자격증 취득 시 자신감은 물론 사고력과 어휘력, 교과 학습 능력까지 향상됩니다.

**씽씽 한자자격시험**만의 **100% 합격** 비결!

1. 들으면 술술 외워지는 **한자 동요 MP3** 제공
2. 보면 저절로 외워지는 **한자 연상 그림** 제시
3. 실력별 나만의 공부 계획 가능
4. 최신 기출 및 예상 문제 수록
5. 놀면서 공부하는 급수별 **한자 카드** 제공

• **권장 학년:** [8급] 초등 1학년 [7급] 초등 2,3학년 [6급] 초등 4,5학년 [5급] 초등 6학년

(사)한국어문회 주관

# 국가공인 한자능력검정시험 교재

한자능력검정시험은 올바른 우리말 사용을 위한 급수별 기초 한자를 평가합니다.
자격증 취득 시 자신감은 물론 사고력과 어휘력이 향상됩니다.

• **권장 학년:** 초등 1학년

• **권장 학년:** 초등 2, 3학년

• **권장 학년:** 초등 4, 5학년

• **권장 학년:** 초등 6학년

• **권장 학년:** 중학생

• **권장 학년:** 고등학생

정답은
이안에
있어!

배움으로 행복한 내일을 꿈꾸는

# 천재교육 커뮤니티 안내

교재 안내부터 구매까지 한 번에!

## 천재교육 홈페이지

천재교육 홈페이지에서는 자사가 발행하는 참고서,
교과서에 대한 소개는 물론 도서 구매도 할 수 있습니다.
회원에게 지급되는 별을 모아 다양한 상품 응모에도
도전해 보세요.

---

구독, 좋아요는 필수! 핵유용 정보 가득한

## 천재교육 유튜브 <천재TV>

신간에 대한 자세한 정보가 궁금하세요?
참고서를 어떻게 활용해야 할지 고민인가요?
공부 외 다양한 고민을 해결해 줄 채널이 필요한가요?
학생들에게 꼭 필요한 콘텐츠로 가득한 천재TV로 놀러 오세요!

---

다양한 교육 꿀팁에 깜짝 이벤트는 덤!

## 천재교육 인스타그램

천재교육의 새롭고 중요한 소식을 가장 먼저 접하고 싶다면?
천재교육 인스타그램 팔로우가 필수!
누구보다 빠르고 재미있게 천재교육의 소식을 전달합니다.
깜짝 이벤트도 수시로 진행되니 놓치지 마세요!

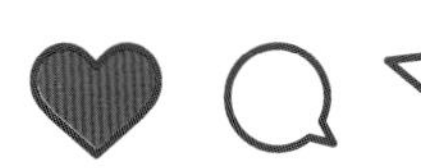